Vivre en maison de retraite

textes d'Éric Favereau

photographies de Jean-Louis Courtinat

Avant-propos

La vieillesse.

Elle nous guette tous. On ne sait pas bien s'il faut l'espérer, signe de longue vie, ou la redouter. On se demande comment on s'en débrouillera, à quelle heure la maladie ou la mort viendront en interrompre le cours : trop tôt ? trop tard ? Souvent, quand elle dure, s'insinue cette autre question : ne faudra-t-il pas un jour partir en maison de retraite ? Pour la plupart, l'idée est terrifiante. Probablement pour ce qu'elle signifie de menaces.

Menace de rupture avec la vie, la vie d'avant.

Menace de rupture avec le « soi » que l'on aurait aimé continuer d'être, jusqu'au bout.

Menace enfin de finitude, de non-futur. Inexorable prélude à la mort.

Rares sont ceux qui choisissent vraiment d'entrer en maison de retraite. Bien souvent, on y va quand il n'y a plus moyen de faire autrement, que le médecin l'a conseillé, qu'il faut soulager les enfants. Celle-là, qui n'avait plus personne, pas de famille, pas de proches, disait : « J'aimerais bien, mais je ne sais plus me prendre en charge. La société ne peut pas me laisser crever comme cela, seule chez moi. Ils ne peuvent pas ne pas s'occuper de moi. Alors ils m'ont mise ici. Je comprends, mais ici, j'ai perdu ma liberté, je n'ai pas le droit de sortir. Et sans liberté, ce n'est pas une vie. »

Il y a ceux qui, devenus vieux, doivent un jour quitter leur domicile. Ils n'ont plus le choix, il faut abandonner la partie. Ils sont alors tentés de céder sur tous les fronts. Parce qu'ils se sont laissé imposer ce nouveau lieu de vie, ils n'ont plus le cœur de lutter pour ce qu'il leur reste ailleurs de liberté et d'autonomie. Ils échouent, passifs, en maison de retraite, ne sachant pas trop quelles seront les nouvelles règles, qui les fixera, s'ils auront voix ou non au chapitre, au nom de quoi, à qui il revient d'en décider et pourquoi.

On leur dit qu'ils sont chez eux, que c'est leur nouveau domicile. En tout cas, tout est fait pour qu'ils considèrent ainsi la maison de retraite. Le personnel les accueille, se démène, chaleureux, attentif. Ceux qui ont choisi ce métier sont rarement là par hasard. Ils sont concernés, prêts à faire leur possible pour rendre douce à ces personnes âgées la dernière étape de vie. Ils savent que le passage est difficile, qu'il s'est décidé parfois subrepticement, voire implicitement.

Le plus souvent, on élude la question du long terme. On fait comme si le nouvel arrivant était de passage, pour se retaper, le temps de traverser un cap difficile, pour voir. On commence par un programme de remise en forme. Certains en effet arrivent après des mois passés seuls, dans l'incapacité de se laver, de s'alimenter ou de s'occuper de leurs effets personnels. L'équipe cherche à faire pour le mieux, sans certitude sur la manière dont elle doit s'y prendre. Elle n'a pas tant d'expérience que cela. Car ces lieux de vie sont récents : les générations précédentes restaient en famille, les vieux auprès des jeunes, du moins tant que l'on avait des proches.

Du haut de leur cinquantaine en général révolue, les enfants eux aussi cherchent comment se comporter. Souvent, ils vont mal. Ils se sentent coupables de l'incurie dans laquelle, impuissants, ils ont dû laisser leurs parents s'enfoncer. Ils se sentent coupables aussi de les avoir dessaisis d'eux-mêmes, de la décision de placement en maison de retraite, de l'inversion des rôles que cela consacre. Eux non plus ne savent pas bien les règles, les limites.

Alors, ils racontent.

Ils racontent le parent devenu dépendant, son histoire, ses habitudes, ses goûts, ses plaisirs, ses déplaisirs. Et les personnels écoutent. Ils se mobilisent pour faire connaissance et rentrer un peu dans l'intimité de la famille. Mais chemin faisant, de confidences en confidences, le plus souvent faites par d'autres, le nouvel arrivant perd toute vie privée. Ses secrets sont révélés, y compris ceux qui relèvent de son histoire médicale, devenue accessible à qui veut, au mépris des règles élémentaires de déontologie. C'est ainsi qu'après avoir abandonné un peu de sa liberté en route, le voilà, ce nouvel arrivant, inconnu de tous jusque-là, dépossédé en un clin d'œil de ce qui faisait son intimité, et cela sous couvert des meilleurs sentiments.

Depuis sa création, le Centre d'éthique clinique a pour mission d'accompagner la décision médicale lorsqu'elle pose question au plan éthique. Or, n'est-il pas particulièrement difficile de déterminer ce qu'il faut décider, pourquoi, mais aussi qui doit trancher lorsque le premier concerné est vieux, dépendant, vulnérable et malade ? Quelle place reste-t-il, dans la décision à ce stade, à celui qui, souvent, ne cherche plus qu'à ne pas déranger, ne pas peser, se faire discret, s'effacer sans faire de bruit ? Et d'ailleurs, doit-on lui en laisser une ? Qui est-il ? Existe-t-il encore ? La dépendance le rend si vulnérable qu'il aurait tendance à se vivre comme inexistant, à s'effacer du monde. Du reste, les autres décident pour lui, et peut-être trouve-t-il lui-même cela plus simple.

Comment savoir ce que commande le meilleur respect de ces gens-là ?

C'est à cette interrogation partagée par tous, responsables et personnels des maisons de retraite, médecins, familles, que nous avons voulu nous confronter. Pour cela, nous avons entrepris une étude d'éthique clinique. La démarche a consisté à rencontrer chacun des protagonistes en tête-à-tête, la personne âgée d'abord, puis tous ceux qui participent de près ou de loin aux décisions importantes qui la concernent. Le but étant de mieux comprendre comment celles-ci sont prises, qui les porte, sur quels arguments et comment elles sont ensuite vécues par les personnes concernées. Nous nous sommes intéressés à la décision d'entrée dans ces maisons. Nous avons observé aussi comment il se discute d'en sortir, par exemple pour aller se faire soigner à l'hôpital. Quel événement le justifie, petit ou grave ? Grave pour qui, pour quoi ? Qu'en pensent les premiers intéressés ? Ont-ils leur mot à dire ? Se considèrent-ils assez soignés, trop soignés ? Enfin, nous avons choisi d'étudier ce qu'il se passe quand approche la fin de vie, d'observer la place que chacun prend dans les décisions de suspension ou au contraire d'accélération des soins qui sont alors souvent nécessaires. Les résultats de ces travaux ne sont pas l'objet de cet ouvrage. Ils sont disponibles ailleurs.

Pour l'heure, le projet est de mettre en scène ces personnages devenus si vieux qu'il leur a fallu partir de chez eux, et ce faisant un peu aussi d'eux-mêmes. À l'issue de notre travail, nous avons ressenti comme une impérieuse nécessité de donner à voir l'humanité qu'ils représentent,
leurs mots,
leur dégaine,
leurs regards,
ceux qui attendent, ceux qui s'ennuient, ceux qui déambulent,
ceux qui pleurent, ceux qui crient, ceux qui rient,
et aussi ceux qui les visitent, leur parlent, les font marcher, manger, les lavent, les coiffent, les caressent, les apaisent.

Alors seulement pourra commencer la réflexion collective à partir des éléments recueillis grâce au travail de terrain, dans l'espoir de contribuer à repenser les politiques publiques sur la question de savoir comment organiser, ensemble, le bien vieillir.
Puissent ces quelques pages contribuer à repenser autrement les politiques publiques sur la question de savoir comment organiser ensemble le bien vieillir ; comment rendre la vieillesse le plus longtemps la plus humaine et vivante possible pour le plus grand nombre ; et comment la médecine peut au mieux servir cette ambition.

Véronique Fournier
Médecin, Centre d'éthique clinique

Préfaces

Les maisons de retraite sont la dernière résidence. Une maison, à la fois privée et publique.

On y vient sans vraiment le vouloir. On y vient, bien souvent, quand on ne peut plus rester seul et que l'entourage estime que c'est encore la moins mauvaise des solutions.

À l'occasion d'un travail de recherche en éthique clinique mené récemment dans quelques maisons de retraite, nous avons recueilli des bribes d'histoires, nous nous sommes attardés à certains moments de la vie, nous avons parlé avec les différents acteurs.

C'est un monde moins sinistre qu'on ne le croit, plus vivant qu'on ne le dit. Mais un monde qui flotte et hésite.

Voilà rassemblés dans les pages qui suivent quelques morceaux de ce puzzle incertain.

Des paroles de résidents d'abord : la plupart évoquent le déplaisir d'être là, d'autres le temps qu'il reste. Un certain sentiment de fatalité les réunit.

Des paroles de proches, ensuite, où pointent l'angoisse et la culpabilité bien sûr, mais aussi le lien qui les unit avec « leur résident ».

Enfin des paroles de soignants. Chacun se débrouille, au mieux, au gré de sa position. Ils doivent faire face à des moments délicats où le cadre qui les entoure est fragile et ne peut guère les aider. Ils se dépêtrent, là-dedans. Parfois, on les regarde comme des soutiens ; d'autres fois, on les ressent comme des grains de sable.

En tout cas, dans toutes ces paroles, les liens affectifs demeurent l'ancrage essentiel.

Éric Favereau
Journaliste, Centre d'éthique clinique

Mercredi 2 juin 2010. Comme chaque matin, j'arrive en gare d'Antony. Petite marche de dix minutes pendant laquelle je laisse défiler dans ma tête les photographies déjà réalisées. Je peste contre cette lumière de printemps qui n'arrive pas à se décider, tout en réfléchissant aux images qui me manquent.

J'arrive à la maison de retraite, la porte coulissante s'ouvre ; Madeleine, 84 ans, est déjà là, assise dans son fauteuil à côté du bureau de la directrice. « Bonjour, le photographe. » Je monte directement au deuxième étage pour saluer l'équipe de soins. J'arrive toujours pour la pause de 9 heures afin de prendre le café. Discussions rituelles sur les programmes télé de la veille, les nouvelles promotions de Leader Price et les prochaines vacances d'été. L'appareil photo en bandoulière, je commence à déambuler dans les couloirs.

Petit détour par le bureau des infirmières. Second café. Cette nuit, une résidente est décédée. « On ne s'habitue jamais », me dit Marie. « Et dire qu'il y a deux jours, elle semblait en pleine forme. » Chacun commente les réflexions écrites sur le cahier de liaison par l'équipe de nuit.

Je m'efface discrètement et monte au quatrième étage. Germaine, 86 ans, et Josiane, 88 ans, finissent leur petit-déjeuner. Je ne résiste pas au plaisir de m'asseoir à leur table. Troisième café. Germaine n'est pas contente car elle a mal dormi. « Je serais mieux chez moi » grommelle-t-elle. « C'est mes enfants qui m'ont mise là. Moi, j'ai rien demandé, et maintenant, ils viennent plus me voir. » Je murmure quelques paroles de réconfort et continue mon périple.

Il est déjà 10 h 30 et je n'ai pas pris une seule photo. Je décide de descendre au premier étage afin d'assister à la visite du médecin. J'entre dans une chambre. Silence glacial. Les infirmières regardent le médecin ausculter une patiente. Je sens qu'il y a une image à faire. Je n'ose plus respirer. Je m'approche le plus discrètement possible des soignants. Je voudrais être invisible. Je mets l'œil au viseur et déclenche une première fois. Pas de réaction. Je m'enhardis et déclenche une seconde, puis une troisième fois. À pas de loup, je quitte la chambre.

Il est 11 h 30, c'est l'heure de la revue de presse. Nathalie, l'animatrice, lit les gros titres du journal devant une assistance particulièrement attentive. Nous sommes au début de la Coupe du monde. Lucien, 84 ans, monte au créneau. « Sont trop payés, ces footeux, valent pas un clou. » Charles acquiesce : « Ils mouillent pas le maillot et connaissent même pas la Marseillaise, une honte. » Je profite de ce débat haut en couleur pour faire quelques images.

Midi, c'est l'heure du repas. Distribution des médicaments et annonce des activités de la journée : aujourd'hui, Scrabble. Raymond, 90 ans, le petit rigolo de la bande, lance comme chaque jour sa phrase célèbre : « Ça manque de femmes, ici. » Je le photographie une énième fois.

14 h, c'est l'heure de la sieste. Tout l'établissement entre en léthargie. Je prends mon plateau-repas et décide d'aller déjeuner avec l'équipe du troisième. Bonne pioche, c'est le pot de départ de Nathalie, une jeune aide-soignante. Une bonne occasion de prendre quelques clichés.

15 h, le goûter. Tous s'attablent une nouvelle fois : café, jus de fruits et petits gâteaux. Quelques familles arrivent, toujours les mêmes. On les sent mal à l'aise. Un bisou, du parfum, un bouquet de fleurs pour les plus chanceux et au revoir. Je fais quelques photos puis reprends mes déambulations.

Un portrait de Gertrude dans sa chambre, Marguerite avec son kiné, deux aides-soignantes réconfortant une malade un peu perdue ; aujourd'hui, la journée fut plutôt bonne pour moi. Vingt photos en neuf heures, c'est inespéré…

Je quitte l'établissement en saluant toute l'équipe. « À demain, monsieur le *foutographe* », me dit Madeleine en souriant.

Jean-Louis Courtinat
Photographe

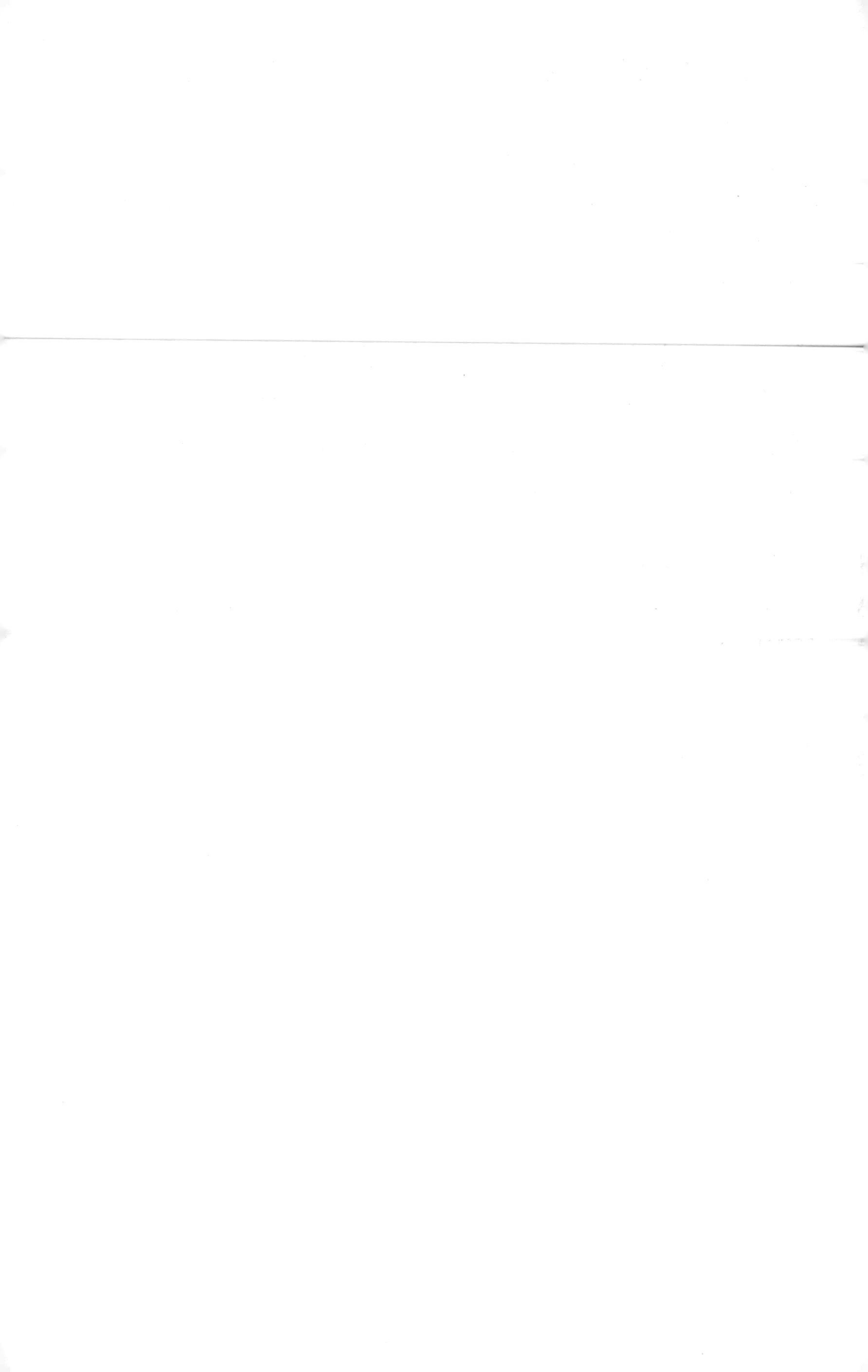

Une maison de retraite.

L'atelier-mémoire.

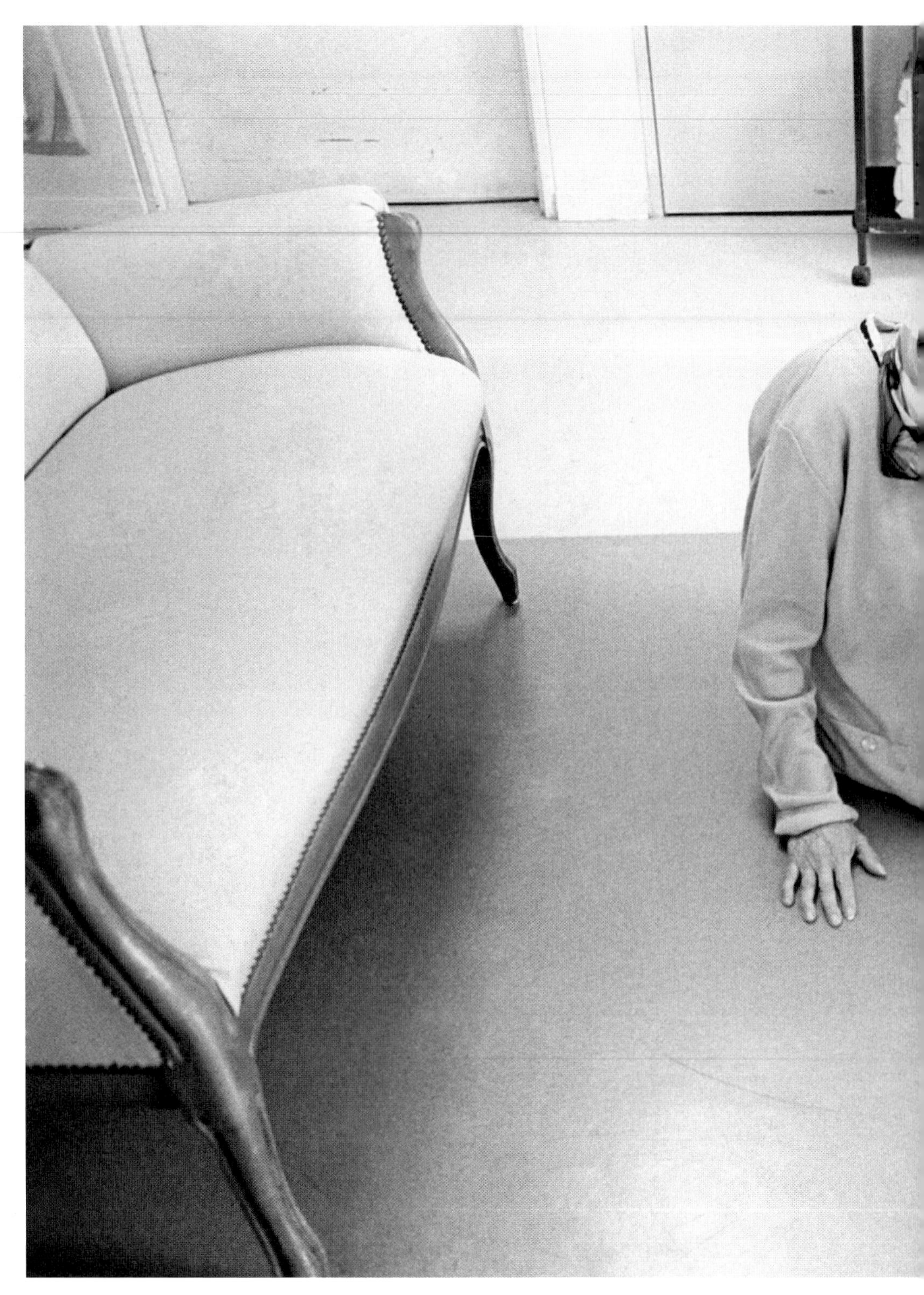

Cette femme aime s'asseoir par terre dans le couloir du service.

La déambulation.

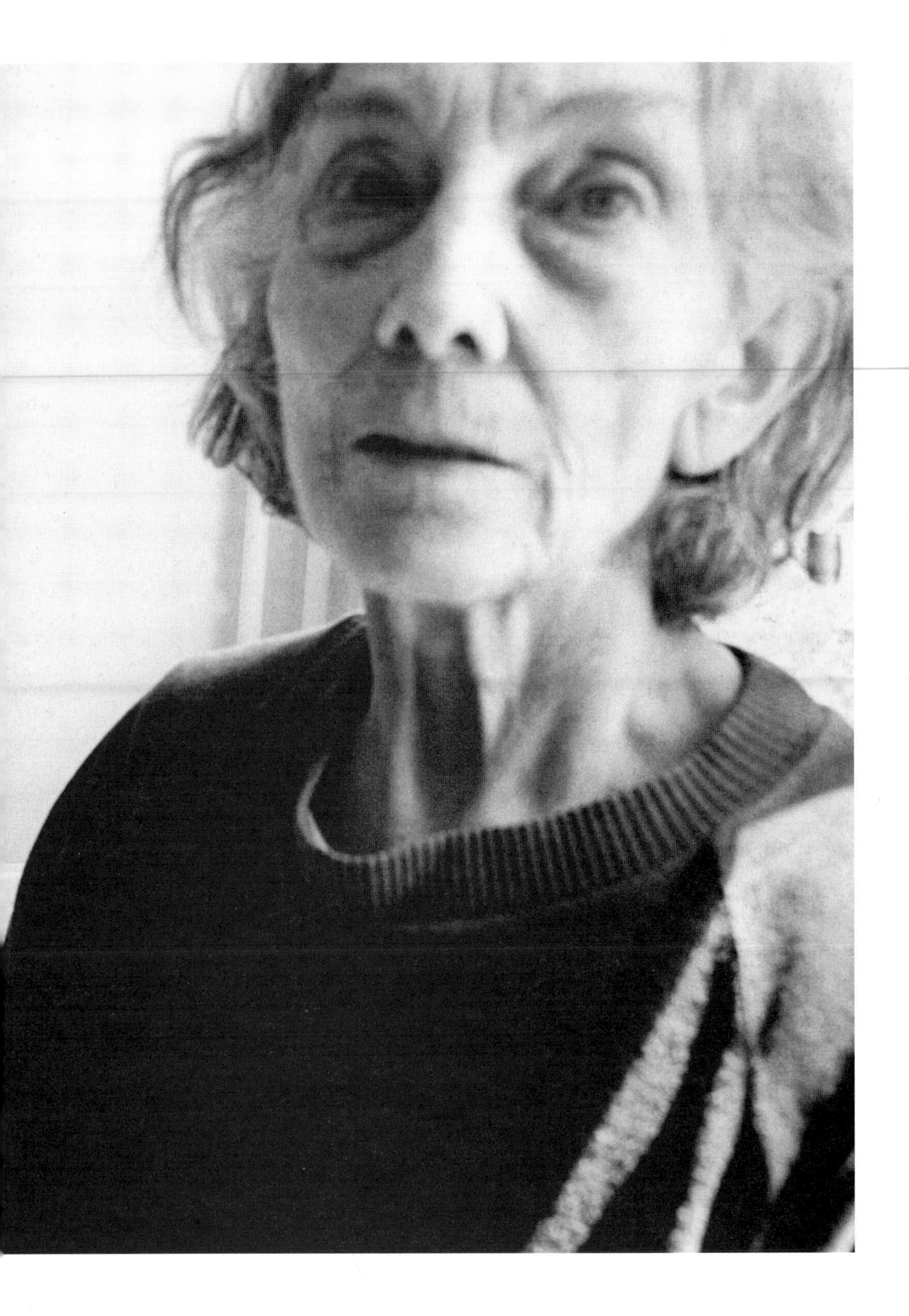

En fin de toilette du matin.

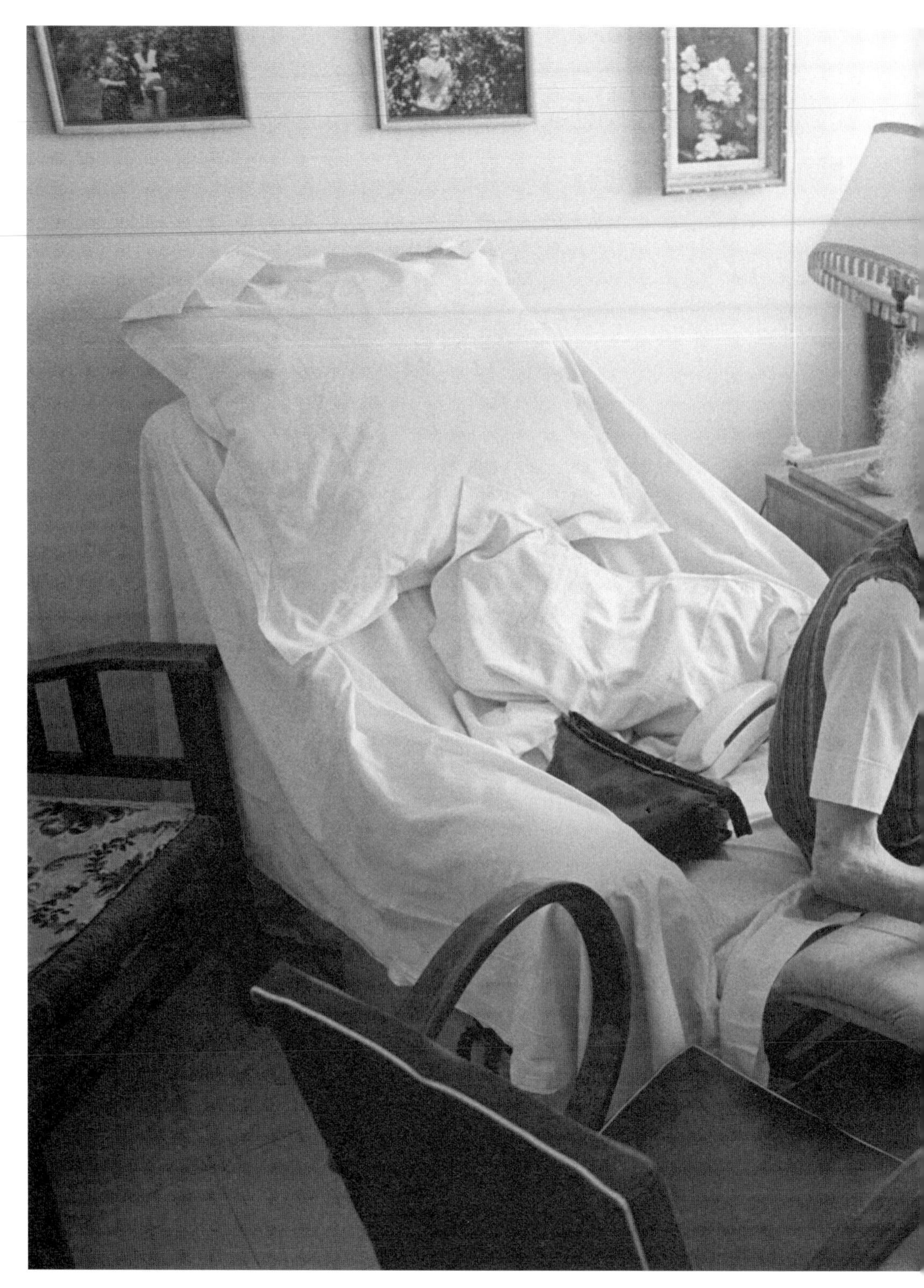

Après la toilette.

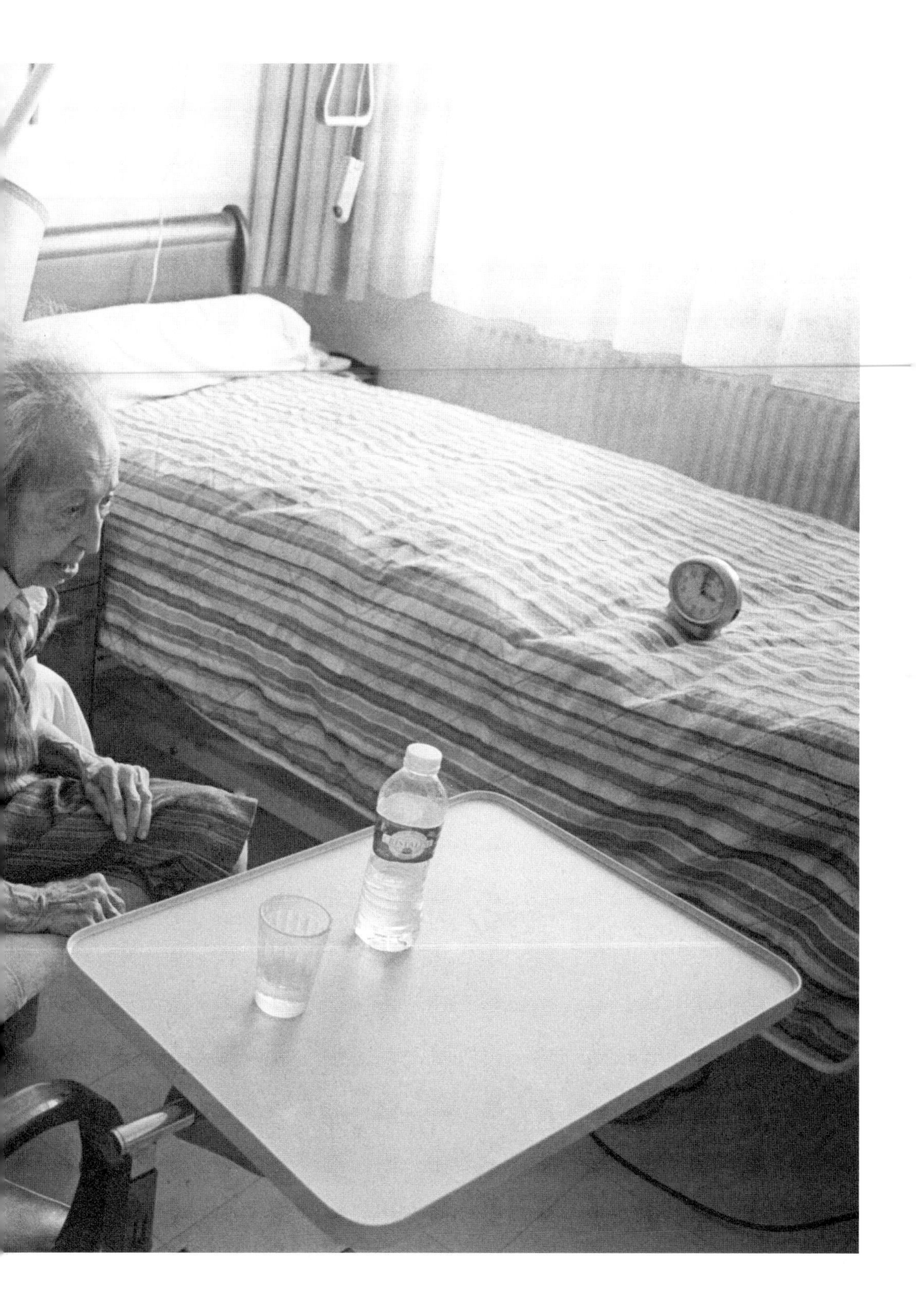

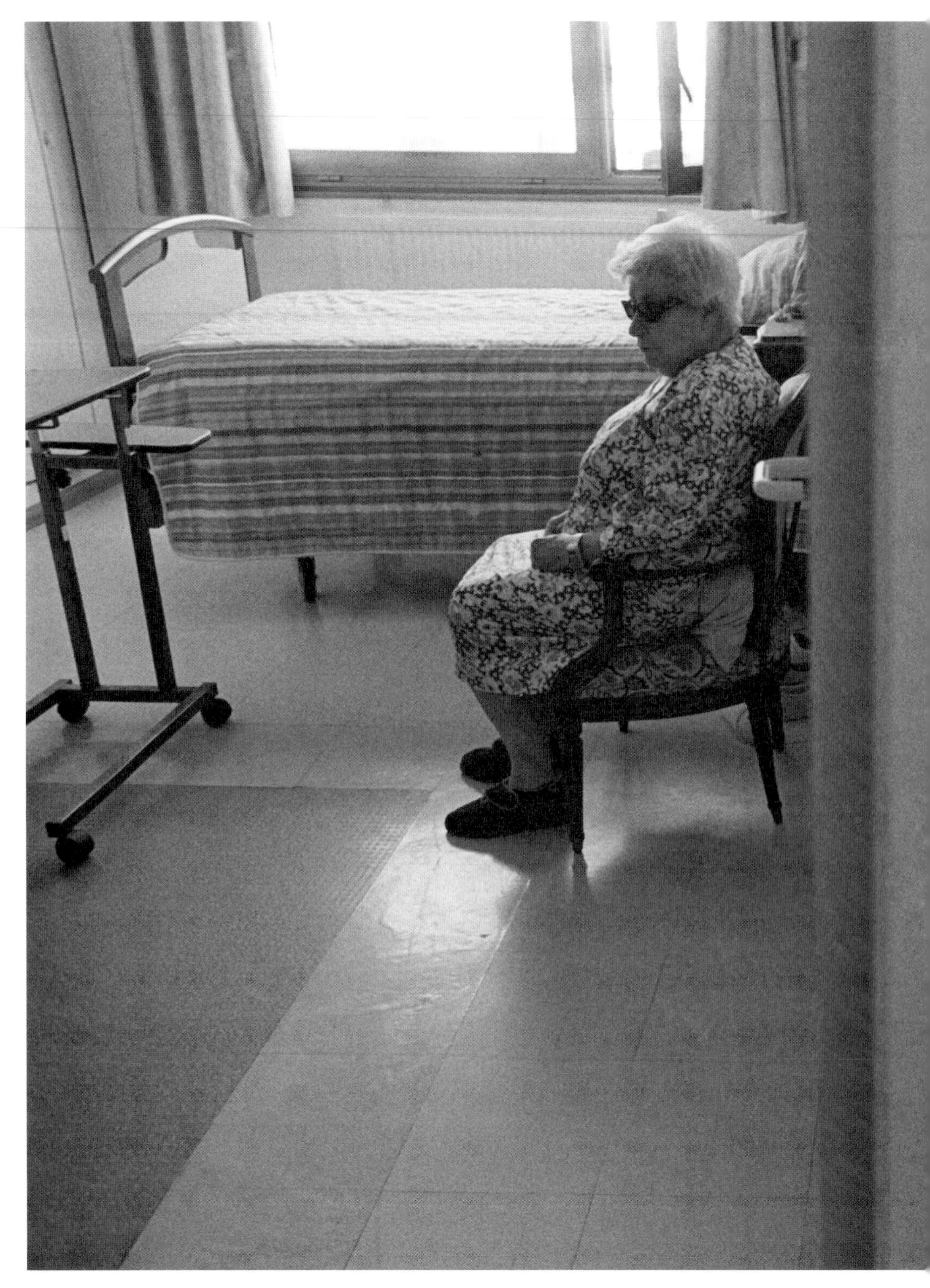

L'attente du repas.

La sieste.

Irène Némirovsky
Suite française

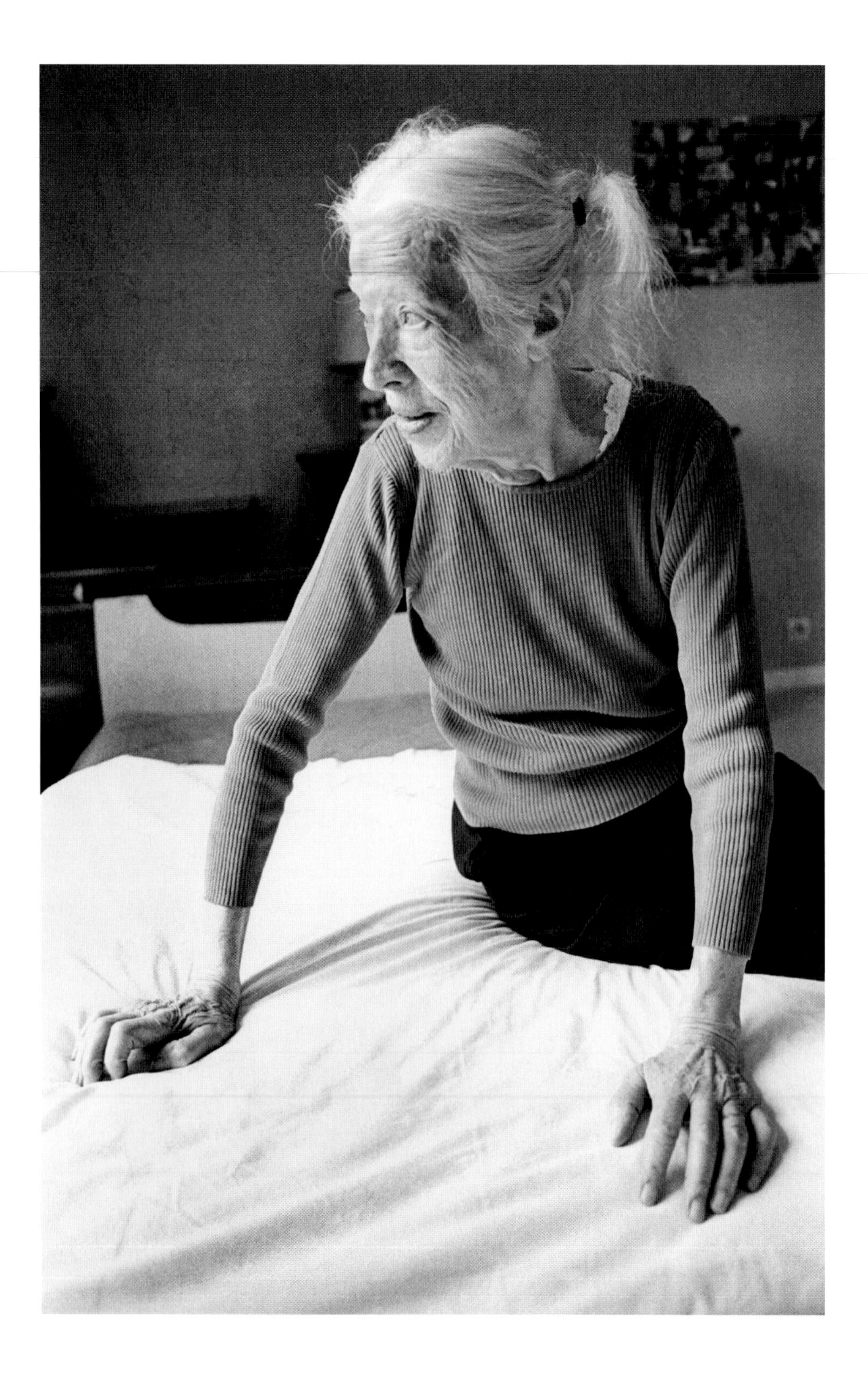

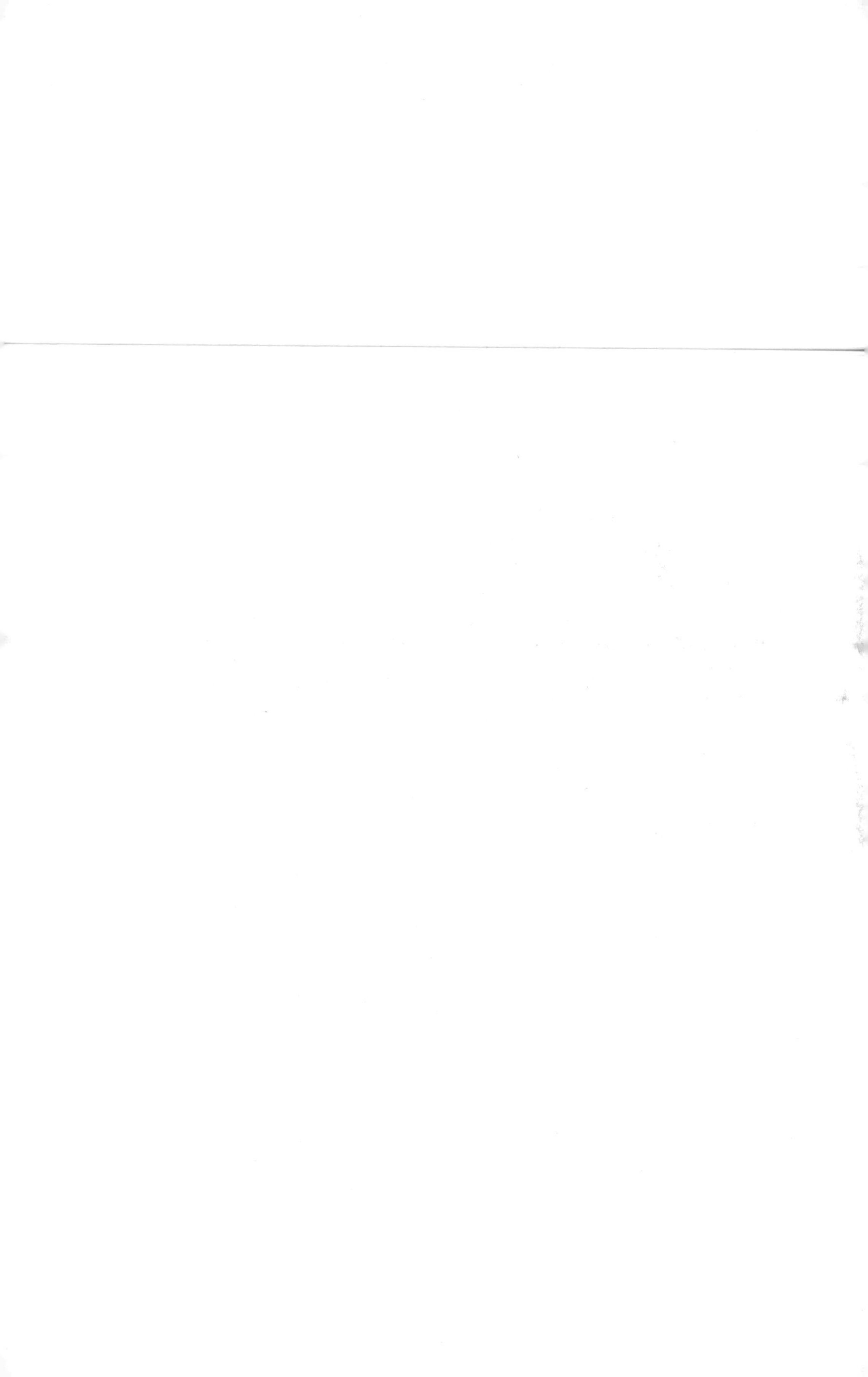

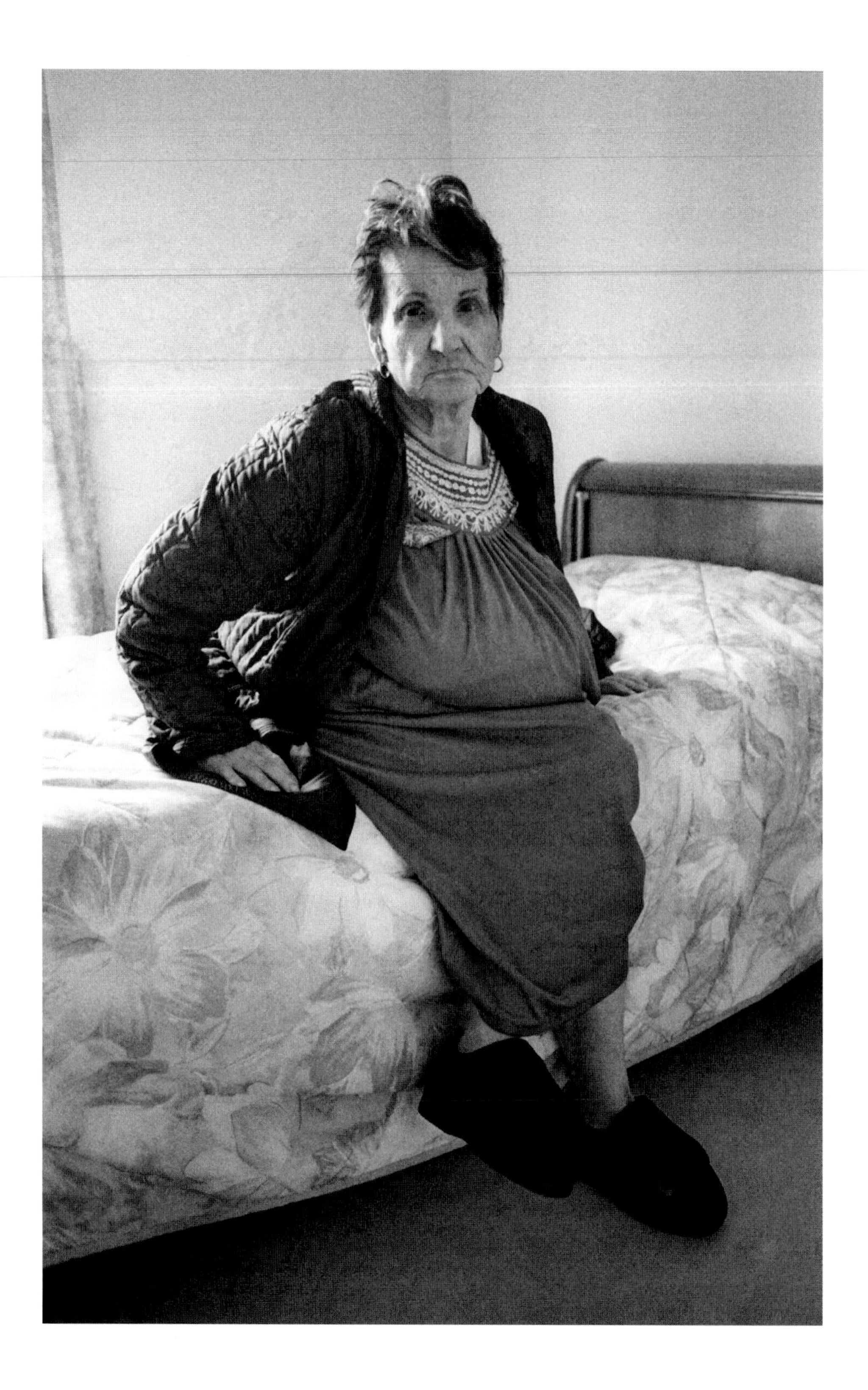

Dans une chambre.

Les résidents

Souvent, ils se taisent. Ne souhaitent pas trop parler. Ils sont là, étendus dans leur lit, fatigués. Ou réunis dans des salles communes trop grises.

Ils guettent les visiteurs, avec un drôle de mélange de curiosité et d'indifférence.

Leur vie, leur dernière vie, se passe dans ce lieu, qu'ils l'aient souhaité ou non.

Puis finalement, ils parlent. Il suffit de leur adresser la parole. Et parlent, alors sans méfiance.

« Je ne sais pas,
non, je ne sais pas.
Je suis ici, mais
je ne sais pas
si c'est bien
que je sois ici.

Vous ne voulez pas
éteindre la radio ?
Cela ne sert à rien,
tout ce bruit. »

Élisabeth D., 88 ans

« Je regrette d'être là. J'ai demandé à venir
dans cette maison, car j'ai toujours habité
à Montrouge. Je connaissais tout le monde
dans ma ville, dans ma rue.

Vous savez, j'ai eu une vie professionnelle
très remplie. J'ai été la secrétaire de gens
très importants. Je me suis dit :
"Peut-être que je serais mieux ici."

Malheureusement, avec les années,
mes amis ont disparu. Il y a bien encore
quelques personnes qui me visitent,
mais c'est bien peu.

Au début, avec ma fille et mes petits-
enfants, j'hésitais. Je ne voulais pas les
obliger. Ma fille est une grande sportive,
elle est toujours en déplacement. Je ne
voulais pas être une charge.

Maintenant, je me rends compte
que j'ai eu une mauvaise idée en venant
ici, loin de ma fille.

Le personnel est bien, mais ils sont ternes.
On a parfois l'impression qu'ils sont
même illettrés.

Dès que je pourrai, je m'en irai.
J'irai près de Toulouse, plus près de
ma fille. Tant pis si cela va l'embêter.
Maintenant, j'ai compris. »

« Jusqu'à présent, tout s'est bien passé, tout le monde est très gentil.

Mais maintenant, cela ne va plus. Ils veulent me mettre sous curatelle. Je n'y tiens pas du tout. Je voudrais refuser. C'est vrai, je dépense un peu d'argent n'importe comment, mais c'est mon argent, non ?

C'est ma vie. Quand je serai sous curatelle, je ne le pourrai plus. Cette curatelle me fait très peur, mais on me dit que je ne peux pas la refuser. Je voudrais rester comme je suis.

Pour les papiers, pour l'argent, c'est vrai que j'ai parfois du mal. Mais ils ne m'ont rien dit du prix, ils me cachent quelque chose, ils ne sont pas très clairs.

Ils m'ont montré une lettre ; ils me l'ont donnée après l'avoir ouverte. C'était une lettre du tribunal. Cela fait quand même un an que je suis ici. Ils ont ouvert mon courrier, sans me prévenir.

J'avais demandé à un de mes frères s'il pouvait m'aider à gérer mon compte. Il m'a dit que cela ferait des litiges dans la famille.

J'ai le sentiment que je serai prisonnière de la tutelle. J'aimerais que quelqu'un m'aide pour mes comptes, mais pas que cela soit quelqu'un de la justice. C'est trop lourd. Les papiers me débordent, mais me mettre une curatelle sur la gorge, c'est comme m'empêcher de respirer… »

Geneviève L., 84 ans

« Je fais tout ici, ma chambre, ma toilette.
Je vous assure, je ne les aime pas,
les employées sont des négresses.
C'est elles qui sont agressives.
Ce sont des gens de couleur.
Ils sont d'une brutalité... je les traite
de salopes, moi, je dis ce que je pense.
Mes voisins d'étage ?
Je les fuis, ils perdent tous la tête.

J'ai ma fille, je le lui dis,
mais elle ne comprend rien.
Elle n'a jamais rien compris.

Et puis cela suffit. Allez-vous-en !

Je vais mourir,
je vais crever,
je le sais. »

Jean B., 68 ans

Gravement handicapé depuis une
intoxication au monoxyde de carbone.

« Non, jamais, je ne suis pas chez moi,
je suis un peu triste, un peu pas bien.

Que faire ? Je ne sais pas…

Mal, à cause des yeux, je vois à peine,
je ne sais pas… Pas bien, la vue.
Il ne faut pas rêver. Il faut que je sois
patient, c'est cela qu'ils disent.

Ce sont mes enfants qui doivent être
au courant, mais ils ne viennent pas.
J'ai un fils, mais il ne vient pas. »

À la fin, triste : « Papa est mort,
il est mort le premier.
Il me manque beaucoup. »

Odile T., 92 ans

« J'ai une amie à qui je fais toute confiance,
c'est elle qui s'occupe de tout.

Je ne peux plus rien faire, je ne vois plus bien,
j'entends mal.

Ce que je veux, c'est partir. Et partir le plus
vite possible… Maintenant, on me donne
de la morphine pour mes douleurs
au visage. Les médecins me demandent
mon avis avant de m'en prescrire, parce
qu'une fois, ils m'en ont donné sans me
demander. Cela m'a mise en colère. Je me
suis dit que je voulais partir de ce lieu.

Maintenant, j'aimerais autant qu'ils ne me
demandent plus mon avis. Je ne peux plus
prendre de décisions. J'attends la mort,
le plus vite possible.

Qu'est-ce que je peux faire ?
Je ne peux rien faire.

J'attends. Je ne vois personne,
je ne sors pas de ma chambre,
je suis au bout du rouleau. »

Pierre D., 80 ans

« C'est mon ex-épouse qui a trouvé cette maison. On est séparés, mais elle s'occupe toujours de moi.

Mon souhait était de rester
dans mon appartement à Versailles.
Mais on m'a dit que non.
Après, j'ai été dans une sorte
de foyer. Je ne convenais pas,
on m'a dit que je n'étais pas
dans la norme.

Je suis comme ça, cela me gêne
de ne pas être à la hauteur, de ne pas
m'assumer tout seul. Mais il n'y avait
pas vraiment le choix.

Je ne sais pas très bien les traitements
que j'ai. Pour la dépression, j'en ai eu
beaucoup.

Il est mauvais, mon moral. Parce que
je suis ici. Ce n'est pas une ambiance drôle.

Ma tête ? Ça va, mais je ne l'ai
pas toujours... Je n'ai rien à dire
de particulier... »

Suzanne M., 87 ans

Dans sa chambre, remplie de photos.

« Je suis là, je suis bien là, c'est chez moi.

Mon tuteur veut me changer, mais
je n'accepte pas. Vous vous rendez compte,
dans quelques jours, je dois partir.
Cela me bouleverse.

Déjà, mon tuteur a déménagé tous mes
meubles, je ne les ai plus, toute ma salle
à manger, tout, c'est quand même mes
meubles. Ils m'ont prise par le bras pour
me faire sortir de chez moi, et mon tuteur
a tout donné.

Mais pourquoi veut-il me faire partir ?
Je suis bien ici, j'ai des amis, je ferai
n'importe quoi, je n'irai pas.

Je préfère qu'il ne s'occupe pas de moi.

Tous les jours, toutes les nuits,
je me demande comment faire. »

Pierrette T., 95 ans

La première fois que nous la rencontrons.

« Oh, non,
je suis fatiguée,
je n'ai pas envie
de parler. »

Quelques semaines plus tard…

« Ma chambre n'est pas désagréable.
Vous savez, je suis de nature assez sauvage,
je me contente de ce que j'ai.
J'essaye que cela soit vivable.
Il faut se faire raison quand
on ne peut pas rester toute seule.

Si j'ai mon mot à dire sur ma vie ?
Je le dirais, on m'écoute autant que
possible. Cela fait un moment maintenant
que je suis ici, je n'en sortirai jamais.

Ce qui compte, c'est la famille qui reste
et qui ne m'oublie pas, Vraiment,
je n'ai pas à me plaindre, j'ai ma nièce
qui s'occupe de moi.

Je pense que je suis assez facile à vivre,
j'arrive à prendre ma raison. Puis c'est
le médecin qui décide, c'est lui qui m'a
envoyée à l'hôpital. Et c'est la famille
qui décidera s'ils exagèrent.

Parfois, quand même,
je me dis : "Vivement la fin."
Alors, je m'adapte. »

Jacques P., 75 ans

« Dans tous mes carnets, j'ai écrit :
ras le bol. Je m'ennuie ici. Cela irait
mieux s'ils me laissaient libre d'aller
où je veux. Je veux la libre circulation
partout.

On dit que je vais me perdre
si on me laisse sortir de cette maison.
C'est possible, mais je me reconnais
facilement.

Je me dis que ce n'est pas normal,
je me dis qu'ils le font par jalousie.
Car si cela ne va pas, je le dis.

Mais quand même, là,
ça va beaucoup mieux.

C'est ma femme qui m'agace.
Elle a peur de tout. Sa prudence,
c'est son rôle principal.

Moi, je veux aller n'importe où.
Ils ne veulent pas que j'aille où je veux
aller, ils me disent que c'est trop risqué.
Moi, je m'intéresse à aller là où c'est vivant.

Le problème, dans ces maisons,
c'est qu'on a l'impression d'être
prisonnier. »

Sa femme

« Je suis très angoissée, et fatiguée.
On m'a donné l'espoir qu'il redevienne
normal quand je l'ai mis ici, dans cette
maison de retraite qui n'est pas très loin
de là où on habitait.

Mais là, il n'est pas normal,
il peut être brutal, j'ai un peu peur.
J'ai peur qu'il sorte. »

« La prudence,
toujours la prudence.
Ras le bol. »

Tonino G., vieux maçon italien, 80 ans

« Allez-vous-en !
Qu'est-ce que vous faites là ?
Partez. Autrement,
je vais me jeter par la fenêtre…

Mais pourquoi vous venez ?
Vous êtes qui ? Arrêtez
de m'emmerder ! Partez ! »

Émilienne B., 85 ans

« J'ai fait une chute chez moi,
alors j'ai appelé les pompiers qui m'ont
amenée à l'hôpital. Ils m'ont fait une radio,
il n'y avait rien de cassé et on m'a ramenée
chez moi.

Mes enfants m'ont dit que je ne pouvais
plus rester seule, que c'était fini.

Mes enfants, ce sont eux qui commandent.
Je n'ai pas eu le choix. Est-ce que j'aurais
préféré rester à la maison, dans mon petit
pavillon, que j'habite depuis plus
de cinquante ans? Depuis un an,
je n'arrivais plus à monter l'escalier.
Alors...

Mes enfants ont cherché une maison,
ils en ont trouvé une dans l'Eure,
mais c'était loin. Puis ils en ont trouvé
une autre, plus proche de chez eux, ici.

Dans cette maison, j'ai demandé
au médecin de passer une nouvelle radio.
Le médecin m'a dit que si je voulais,
je pouvais me faire opérer. Personne
ne m'a obligée, c'est moi-même.

Mes enfants me disaient :
"Tu fais ce que tu veux."

Le chirurgien m'a dit :
"Si vous êtes d'accord, on y va."

Je ne me suis pas inquiétée, je n'ai pas posé
trop de questions. Je voulais remarcher,
reprendre ma petite vie, et de toute façon,
c'est moi qui décide...

Maintenant, cela va de mieux en mieux.
Je remarche avec mon déambulateur.
La vie a changé.

Je suis toujours dans la même chambre.
Au début, je me trouvais un peu enfermée,
ici. Mais je m'adapte. C'est mon tricot
qui m'occupe, je ne peux pas rester
à ne rien faire. »

Jeanine M., 88 ans

« J'ai eu des mauvaises pensées,
des mauvais esprits. Cela s'est passé
dans ma tête.

Je me sentais comme un zéro, je n'avais
plus de moral. Je ne mangeais plus,
on m'a forcée, on m'a mis une seringue
dans la bouche et j'ai mangé comme ça.

Je n'ai rien dit, je ne pouvais rien dire.
Je voulais que l'on me sauve, mais je
n'arrivais pas à manger. Je me suis dit
que j'étais malade.

On ne m'a pas demandé mon avis,
et cela m'a guéri. Alors, c'est tant mieux.
Moi, je n'ai rien dit.

En général, on ne revient pas sur ce que dit
le médecin. Mais si j'ai envie de dire non,
je dis non. Mais je ne le dis pas souvent. »

« Je suis tombée au pied de mon lit,
et c'était impossible de me relever.
C'est comme cela que l'on m'a emmenée
à l'hôpital de Chaumont.

J'habitais toute seule avant,
dans mon petit village. J'étais bien
contente, c'était ma maison.

Quand il a fallu partir, il n'y avait que ça
à faire, je ne pouvais plus marcher...

Comme j'ai un fils qui habite tout près,
et une petite-fille aussi, on m'a conduite
dans cette maison de retraite.

Maintenant, ça va, je suis bien. Mais je n'ai
rien demandé, ce sont les enfants qui ont
décidé et ils ont bien fait.

Ma fille a la maladie d'Alzheimer.
Elle est ici, elle a une chambre seule.
À midi, nous déjeunons ensemble.

Mon mari est mort, il y a longtemps.
Je me plaisais là-bas, j'avais une voisine
gentille, on s'accordait bien. Mais c'est vrai
qu'il y a des jours où je regrette mon petit
village de quatre-vingt-cinq habitants.

Ici, ce n'est pas très gai, mais enfin ça va.

Et puis j'ai toujours été une dame
tranquille et gentille. Je ne fais pas
d'ennuis, j'ai soigné maman pendant
dix ans, papa a vécu jusqu'à 99 ans.

Voilà, c'est mon tour, je suis là. »

Une résidente se maquille.

Une résidente plie son linge.

Récital de guitare.

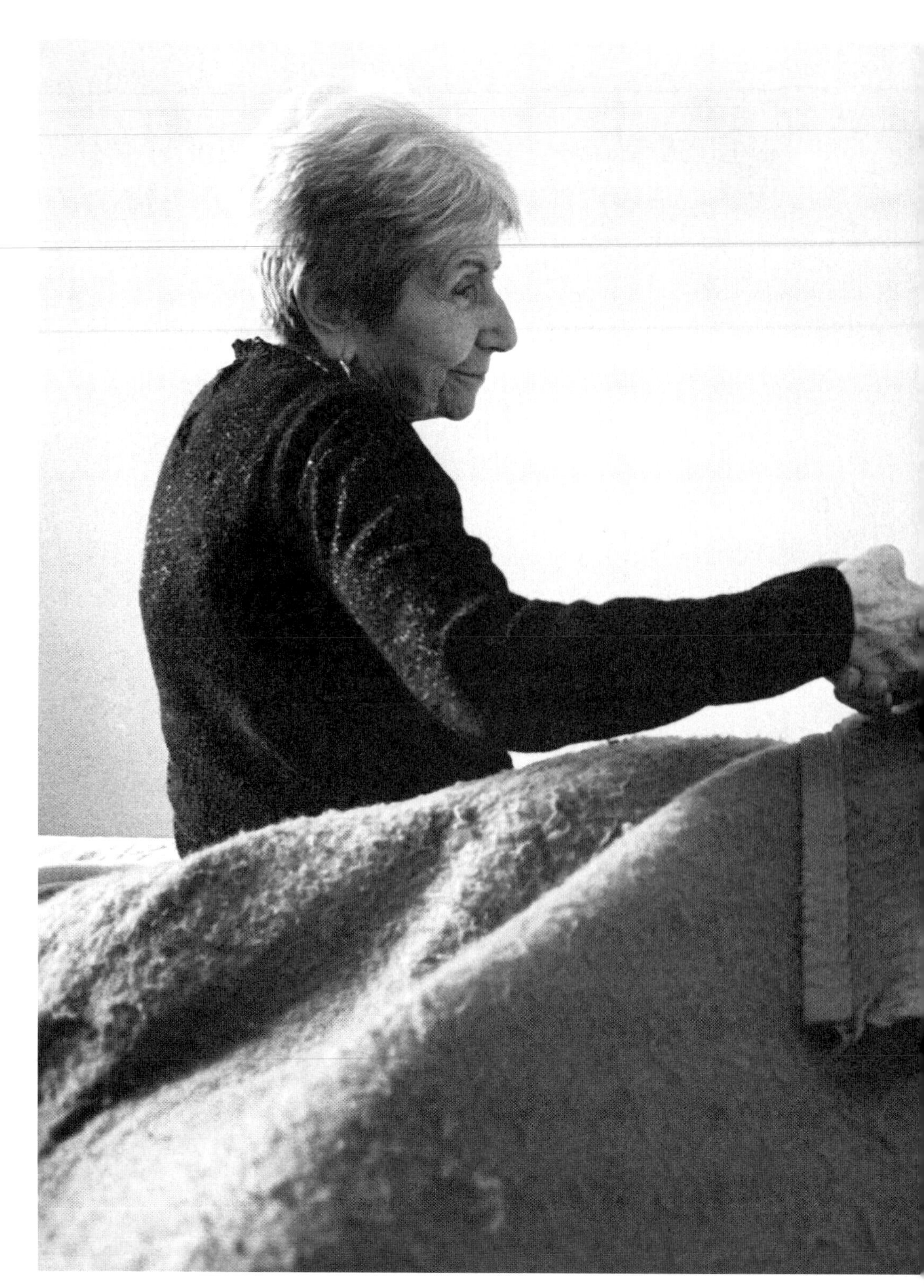

Deux résidentes amies.

Un enfant joue au ballon avec une personne âgée.

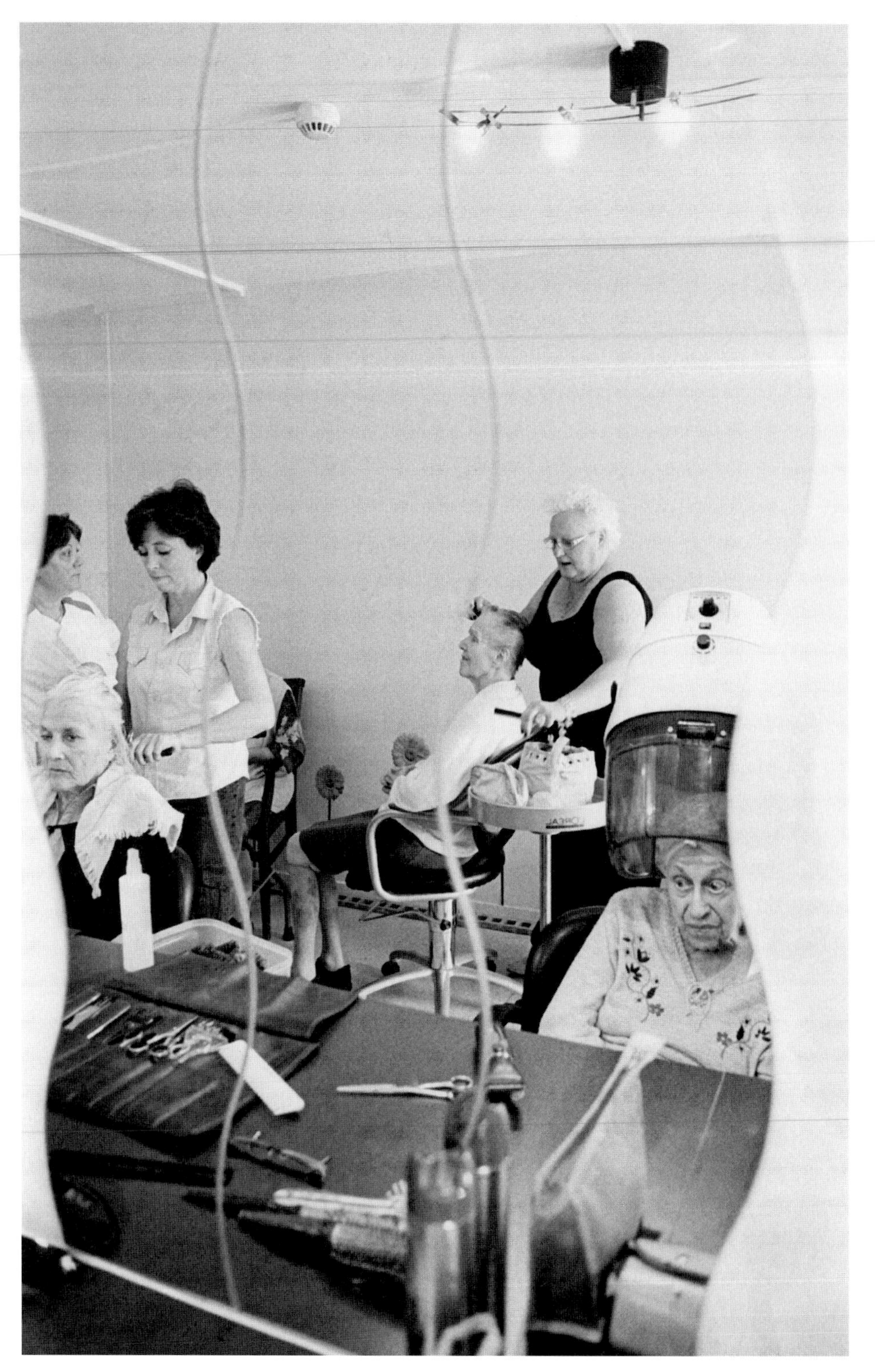

Le salon de coiffure.

La revue de presse.

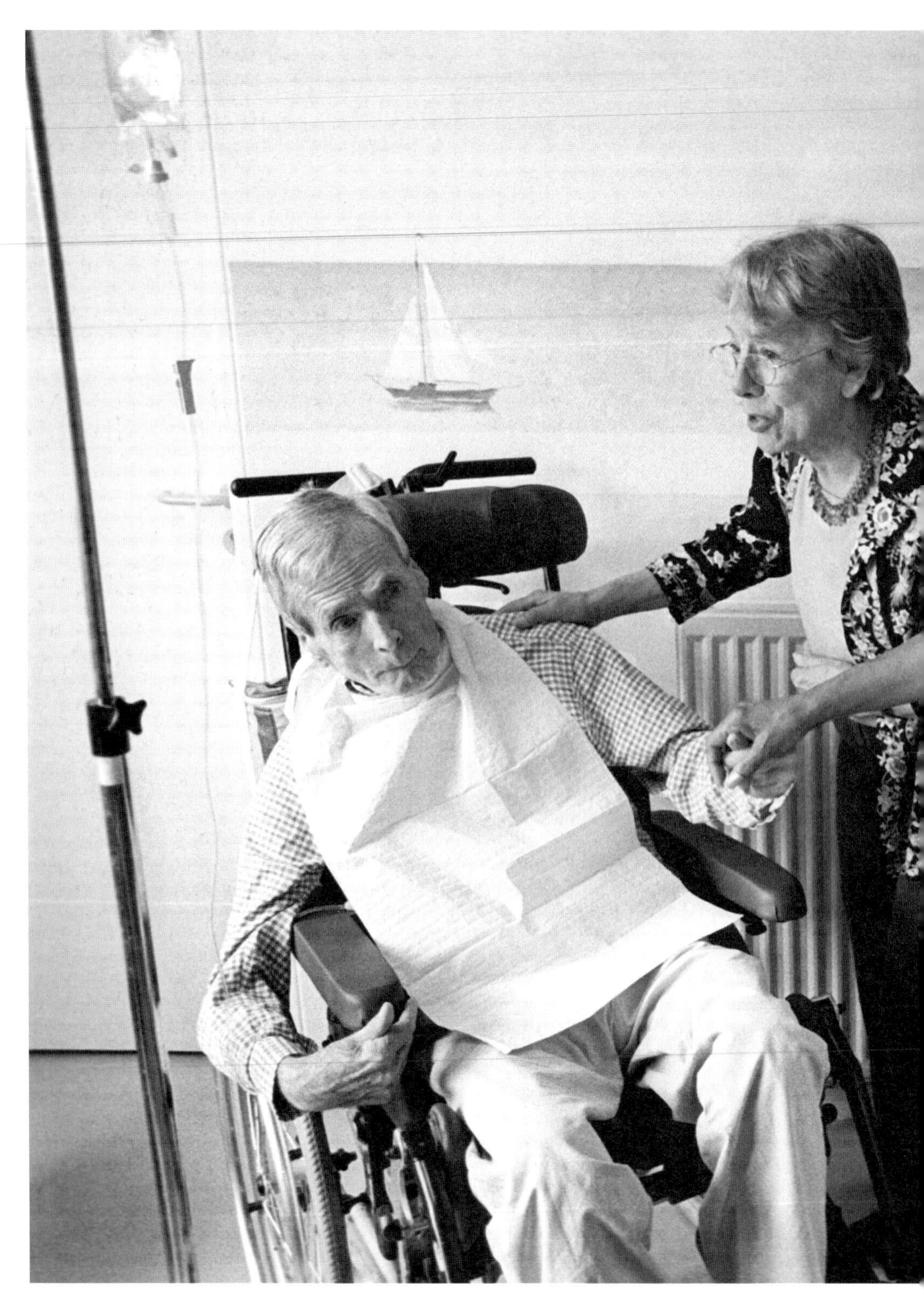

Visite d'une famille.

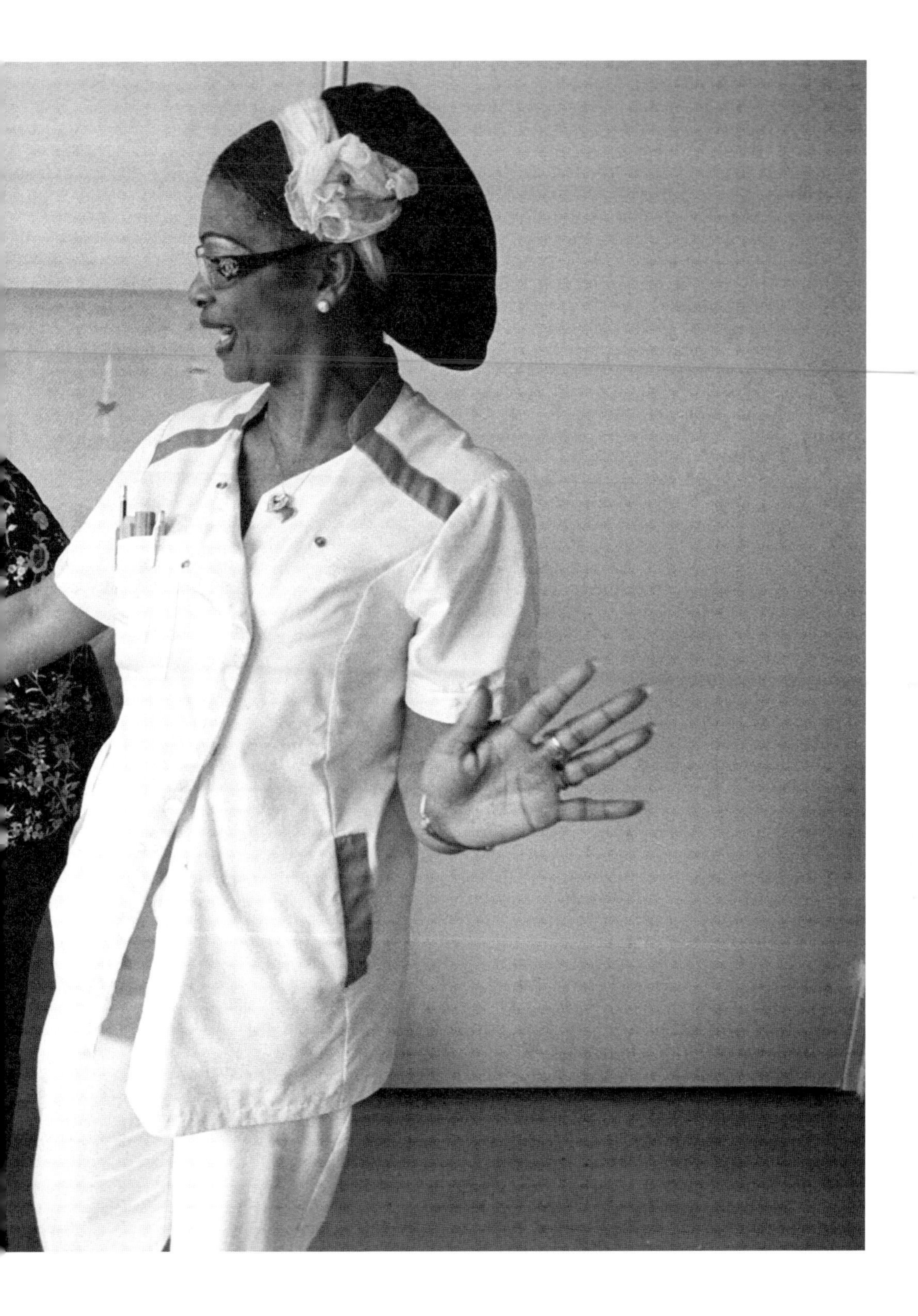

Les proches

Ils deviennent souvent la voix des résidents. D'abord à petits pas, ensuite plus fortement.

Ce sont eux qui décident, ce sont eux qui parlent à la place de leur père ou de leur mère.

Ils ont été englués dans des problèmes de gestion quotidienne, les voilà maintenant entre-deux. Parler pour eux ou parler pour leurs proches ?

« Mes parents habitaient à Paris. Mon père ne voulait pas aller dans cette maison de retraite. Puis ils y sont allés, tous les deux. Mon père est mort ici. Il y a deux ans, ma mère a dû faire une fibroscopie. Cela s'est mal passé. Depuis, elle est grabataire dans sa chambre.

Je viens la voir toutes les semaines, tous les samedis. C'est une femme très généreuse. Elle ne discute pas beaucoup. Une fois, elle m'a dit : "J'en ai marre." Elle ne veut pas trop en parler.

Elle ne peut pas être ailleurs, je ne sais pas si elle est bien, je n'ai jamais su si elle était bien ou pas.

Cela me paraît comme une évidence de ne pas trop en faire, côté soins. On a eu une réunion avec l'équipe soignante de la maison de retraite et on a écrit un texte, que j'ai signé avec ma sœur, demandant qu'il n'y ait pas d'examen inutile.

Ma mère est silencieuse. Elle n'a jamais émis de souhait. Elle a eu une vie très dure, elle s'est toujours battue.

Comme ma sœur habite loin, je m'occupe des galères, mais je le fais en accord avec elle. Aujourd'hui, c'est moi qui décide. J'ai l'impression d'être bien en accord avec ma mère. »

« Ma mère est tombée une première fois,
puis une seconde fois.

Elle ne voulait pas rester seule. On lui
a trouvé une maison de réadaptation, près
de Toulouse. On n'était pas loin, il y avait
de la famille, et elle était d'accord. Mais
elle a voulu rentrer sur Paris. Car, nous
disait-elle, c'est là qu'elle a toujours vécu.
Elle pensait qu'elle aurait plus de visites.

Elle était très contente au départ,
mais je pense qu'elle avait idéalisé l'endroit.

Et voilà… Depuis, elle regrette. Elle a peu
de visites, elle s'en plaint, elle s'ennuie.
Elle trouve que l'on s'occupe mal d'elle.
Quand elle est arrivée, elle a trouvé
qu'il y avait beaucoup de bruit.

Je la laisse décider, je la guide un peu.
J'ai évoqué avec elle la question
des finances, je lui ai dit de surveiller
ses finances. Elle gère ses affaires,
c'est une maîtresse-femme. »

« Maman a 96 ans.

Elle me disait toujours qu'elle ne voulait pas mourir comme un déchet. Ce qui me peine, c'est que l'on soit un peu dans cette phase. J'aurais préféré qu'elle meure d'un arrêt cardiaque. Mais comment faire ? L'euthanasie n'est pas possible. Et ce n'est pas moi, sa fille, qui vais le faire. Alors...

Je me dis : "Surtout qu'elle ne souffre pas."

Elle s'est beaucoup occupée de moi, car je suis fille unique. Elle a connu cette maison de retraite à la suite d'un problème de cardiologie. Elle est venue ici, un peu comme dans une maison de convalescence. Elle venait, elle restait, elle passait régulièrement deux à trois semaines, l'été.

Il y a deux ans, seule, trop fatiguée, elle a voulu rester un peu plus, pour refaire surface disait-elle. Elle est venue, tout en conservant son appartement.

Je viens une fois par semaine.

En fait, elle ne s'est jamais vraiment intégrée, elle refuse de participer aux animations.

Elle s'est peu à peu détériorée. Elle répétait, souvent, qu'elle voulait mourir.

Au fond, elle est un peu dépressive.

Notre médecin est toujours venu la voir, il n'habite pas très loin. Jusqu'à maintenant, c'était elle qui gérait les médicaments. Elle refusait les piluliers, les médicaments qu'on lui donnait ici. Les bas de contention, elle n'en voulait pas non plus.

En décembre, elle a fait une bronchite, elle ne voyait plus très clair, elle mélangeait les choses. Elle a dû lâcher prise. Cela a dû être difficile pour elle. Elle a eu du mal à remonter.

Puis elle s'est mise à rouspéter, à ne plus
se nourrir. On lui a donné des compléments
nutritifs qu'elle aimait bien.

Je suppose que les médicaments allaient
souvent à la poubelle, dans le désir
qu'elle avait de ne pas être soumise.

Maman est une femme
qui ne se livre pas du tout.

Il y a eu comme une pente douce.
Puis elle a eu un zona.

Cela a été une horreur. Je me souviens,
je suis passée ce soir-là, et elle m'a dit :
"Je ne sais pas ce que j'ai, j'ai des
excroissances dans la bouche."
Cela la brûlait, c'était terrible.
Pendant quinze jours, on l'a soignée ici.
Mais à plusieurs reprises, on a dû aller aux
urgences. Dans l'ambulance, elle délirait.
À l'hôpital, l'interne nous a demandé si elle
voulait être hospitalisée, on lui a dit
que oui, mais on n'a pas trouvé de place.

Comme elle souffrait beaucoup, elle se
grattait avec violence. Elle s'est déchirée
la paupière, elle saignait. Une infirmière
disait même qu'elle était en train
de se vider de son sang. Elle est repartie
à l'hôpital, mais on avait l'impression que
l'on n'intéressait personne. On le sentait,
au regard, au détachement et au désintérêt
des soignants aux urgences.
Puis elle est revenue ici.

Maintenant les choses se dégradent
tout doucement.

Elle ne peut plus avaler. Aujourd'hui,
que dire ? Elle ne s'exprime plus,
elle geint beaucoup.

J'arrive au point où j'aimerais que Maman
ne souffre plus. Je fais confiance.
Je la sens plus calme depuis qu'elle
a ce patch de morphine. Accélérer
les doses ? Huit jours de plus dans un lit ?
À quoi cela rime ? Mais le rôle du médecin,
c'est de soigner. »

« Ma mère est impossible.
Tout le monde,
durant toute sa vie,
lui a servi de bonne.
Moi, la première.

Je vivais avec elle dans la même maison, au rez-de-chaussée et elle au premier. Mon père est mort il y a quatre ans, c'est devenu invivable. Elle n'est jamais contente. Elle me critique toujours, elle répète : "Mais pourquoi tu m'as mise là ?" Ce sont sans cesse des reproches. Elle ne voulait pas aller en maison de retraite, mais elle tombait tout le temps.

J'avais promis à mon père de ne pas la mettre en maison tant que ce serait possible. Mais elle était insupportable. Elle voulait même me faire divorcer pour que je m'occupe d'elle à plein-temps. Vraiment, j'ai vécu l'enfer.

Puis elle m'a dit qu'elle voulait bien aller en maison de retraite. J'ai fait les démarches. Cela s'est fait en deux ou trois mois. Elle était d'accord pour venir ici.

Mes parents avaient mis de l'argent de côté pour leur retraite. C'est comme cela qu'elle peut payer 3 000 euros par mois. C'est moi qui fais tout, j'ai les procurations.

Mais comme toujours avec elle, tout s'est mal passé. Dès qu'elle est arrivée ici, elle a fait une fixation sur la nourriture. Chez moi, elle était habituée à ce que je fasse tout ce qu'elle voulait...

Quand je viens ici, je la gâte, j'amène des gâteaux, des croissants, mais elle n'est jamais contente. Je viens une fois par semaine. Ils m'ont dit ici de ne pas venir plus.

Cela fait six ans que je n'ai pas pris de vacances. Elle a toujours été comme cela, agressive, comme un commandant en chef. Pour elle, je le reconnais, cela doit être pénible, car elle voulait finir sa vie chez elle, dans sa maison. Mais elle m'a fait beaucoup de mal, trop de mal. »

« C'était il y a quatre ans. Mon père
a commencé à avoir un peu de difficultés.
Non pas qu'il perde sa tête, mais il avait
des absences.

Il vivait avec un de mes frères, Mephir.
Le problème, ce sont mes deux jeunes
frères, ils sont très agressifs. Moi, je suis
la fille aînée. Avec mes frères, cela
se passait si mal que mon père a eu
plus de quatorze auxiliaires de vie.

Face à mes deux frères, j'ai fait valoir – ce
n'est pas bien – mon droit d'aînesse,
car avec eux, on ne peut pas discuter.
Ils ont empêché qu'un médecin expert
vienne examiner mon père.

En fait, ils refusent de voir son état.
Ils ont l'image d'un père en forme,
ils veulent garder cette image;
et de le voir, comme cela... ils le refusent.

Ils considèrent que c'est à nous de nous
en occuper financièrement. Notre père
n'est pas un indigent, il a un peu d'argent
de côté. Il peut subvenir à ses besoins.
Mais dans la mentalité kabyle, mes frères
ne voulaient pas. Ils nous ont assignés
en justice, et maintenant, tout le monde
doit verser 215 euros par mois.

Je l'ai fait longtemps.

Pour l'hospitalisation ici – oui,
je le reconnais – je l'ai fait à l'insu
de mon père et de mes deux frères.
C'est moi qui ai pris la décision.
En leur absence. J'en ai profité pour
le mettre dans cette maison de retraite.
Je n'en suis pas fière, mais je ne voyais
pas d'autre solution, c'était impossible
chez lui. Il était devenu incohérent,
il refusait tout traitement.

Ma mère est décédée il y a quinze ans.
Mon père et ma mère ne s'entendaient
pas du tout, ils habitaient à des étages
différents. Dans la famille, ce sont
les deux plus jeunes qui ont souffert
le plus de toutes ces tensions.

Mon père est arrivé en France à l'âge
de 15 ans, nous sommes kabyles. Il était
fier, il a terminé sa carrière comme ouvrier
spécialisé à l'arsenal de Vincennes.

Quand je parle avec lui,
il me demande: "Mais je suis où?"
Je ne lui ai pas dit qu'il était
dans une maison de retraite.

Les premiers jours, il était un peu agressif.
Mais depuis, je trouve que cela va bien.
Je suis très satisfaite, il y a un suivi médical
qui est bien. J'ai l'impression que je peux
dire des choses, que je suis écoutée.
J'ai mon mot à dire, et c'est bien normal.

Dans la première maison de retraite,
on le traitait mal. Un exemple : mon père
est un homme qui aime bien manger.
Il avait un dentier et trois dents.
Un jour, ils lui ont retiré ses dents,
et ils ont dit qu'ils allaient lui mettre
un nouveau dentier. Ils l'ont fait sans lui
demander, sans nous le demander, et ils
ne lui ont jamais remis un nouveau dentier.
"J'en ai marre de manger des soupes", nous
dit-il, "je ne suis pas un bébé."

Son propre père est mort à 98 ans. Et lui
va être centenaire, car il n'est pas du tout
en fin de vie. Est-ce qu'il a envie d'être
centenaire ? Je ne sais pas, il ne dit pas
grand-chose, il ne dit pas qu'il veut mourir.
Il dit parfois : "Laissez-moi me reposer."

C'est ainsi. Mon souci est que mon père
reste le plus longtemps possible autonome.
Vous savez, nous avons une culture
différente. On ne laisse pas ses parents.
Je viens une fois par semaine.
Mon frère, Seghir je crois,
vient presque tous les jours. »

« Ma mère était sous ma tutelle.

Au début, dans cette maison de retraite, il y a eu des problèmes de management. C'était pénible. Mais peu à peu, les choses se sont améliorées, et après on a réussi à bien travailler ensemble.

On a discuté avec la directrice et les infirmières. Les choses ont été clarifiées. Par exemple, on a décidé que si ma mère avait besoin d'être hospitalisée, ce serait à l'Hôpital américain.

C'est moi qui décide pour elle. J'essaye de faire la part entre ma mère d'hier et celle d'aujourd'hui. Pour toutes les choses de la vie courante, manger tel fruit ou je ne sais trop quoi, je la laisse décider. Mais pour le reste, c'est moi. J'ai essayé de faire coïncider les deux, ma mère d'avant et celle d'aujourd'hui. Mais la personne qu'elle est devenue ne ressemble à rien.

Pour l'enterrement, j'ai hésité. Je ne sais pas si j'ai bien fait. Elle m'avait dit qu'elle voulait se faire incinérer. Je n'aime pas ça, je ne voulais pas trop. À la fin, je lui ai demandé, avec un peu d'insistance, et elle m'a dit qu'elle voulait bien se faire enterrer. Je sais que je l'ai un peu forcée. Je ne sais pas si j'ai bien fait de l'enterrer, mais je l'ai fait pour moi; je préférais qu'elle soit enterrée dans un endroit où je pouvais me rendre. »

« Cela fait sept ans que ma femme
est atteinte de la maladie d'Alzheimer.
Année après année, je m'en suis occupé,
de plus en plus.

Mon cousin, qui est médecin, me disait
que j'allais m'épuiser, que si cela continuait,
je partirais le premier.

Ce n'était pas facile. Le plus dur, c'est
l'incontinence. La changer, changer
les draps tous les jours, je trouvais cela
insupportable, mais il fallait bien le faire.
Maintenant, elle est là, dans cette maison
de retraite.

Le grand mensonge, c'est comme cela
que je l'appelle. Je lui ai menti.
En janvier, j'ai eu une hernie discale.
C'était la panique, je me demandais
comment j'allais faire. Je lui ai dit que
j'allais me faire opérer, et qu'elle allait être
placée temporairement. Trois jours après,
elle ne m'en a plus jamais parlé, ni de rien,
ni de rentrer à la maison.

Je ressens ce que je lui ai dit comme
un grand mensonge, mais pour moi,
c'était le seul moyen d'éviter son retour
à la maison. En ne lui disant pas qu'elle
était dans une maison de retraite, je ne
prenais pas le risque qu'elle veuille revenir.
En fait, elle ne m'a jamais rien dit. Mais
je ne voulais pas prendre le risque.

C'est ma vie, maintenant. Je viens trois fois
par semaine, il ne faut pas laisser tomber.
En même temps, il ne faut pas venir trop.
J'aurais peur qu'elle veuille revenir.

Pour moi, après soixante ans de mariage,
cela fait drôle à la maison.
Il y a des fantômes qui restent.
Avec ma femme, on n'avait jamais parlé
de ces choses-là. Cette maladie nous est
tombée dessus, comme une douche glacée.

Ici, les gens la respectent. J'ai demandé
qu'on ne lui donne pas de chaise roulante,
il faut qu'elle marche.
Elle a de la compagnie, elle ne parle pas,
ne répond pas. Coupable ? Non, triste.
Je m'occupe dans mes 140 mètres carrés.
Mes enfants ? C'est bizarre… Depuis
qu'elle est ici, ils viennent la voir
plus souvent. »

« Ma tante était
d'une agressivité dure,
elle me jetait
des pots de compote.
Maintenant, c'est mieux.

Il a fallu des heures
pour la convaincre
de venir ici.
Et puis à force,
cela a marché… »

« La maladie d'Alzheimer de notre mère
a commencé il y a peut-être dix ans, avec
la mort de notre père. On l'a maintenue
à domicile, elle ne voulait pas aller
en maison de retraite ; en tout cas,
elle nous l'avait répété souvent.

Il y a un an, nous avons visité cette maison
de retraite, mais nous n'étions pas encore
prêtes. C'était trop compliqué.
En novembre, nous avons franchi le pas.
On l'a conduite ici. Nous avions très peur
de sa réaction, mais elle ne s'est rendu
compte de rien.

Dès qu'elle est arrivée, elle a paru ravie.
Elle disait bonjour à tout le monde. Elle
allait dans les autres chambres. On s'est
même fait la réflexion qu'elle avait souffert
peut-être avant d'un manque de vie sociale.

Au bout de quinze jours, elle a dû être
hospitalisée car elle ne mangeait plus
du tout. Alors qu'à la maison, elle
mangeait tout à fait bien. S'est posée
la question de lui mettre une sonde
gastrique. Les médecins étaient tous
d'accord pour ne pas le faire. Ils nous ont
dit : "c'est douloureux", "c'est inefficace".
Maman a toujours dit qu'elle était contre
tout acharnement thérapeutique. On était
d'accord : pas de douleur pour maman.

Lors de la réunion collective avec l'équipe,
une infirmière s'est posé des questions. Elle
disait : "Mais pourquoi ne pas lui donner
une chance ?"

Là, elle ne mange plus. Je la vois mourante,
maintenant. Je ne veux pas y penser.
On voit et on profite de Maman…
au jour le jour.

C'est étrange, quand même… Maman
vit tout ce qui la rendait malade,
dans une maison de retraite. Et pourtant,
elle sourit, elle est beaucoup plus tendre,
elle trouve du réconfort, elle nous
reconnaît, je crois, même si elle ne sait
plus nos prénoms. On ne se le dit pas,
mais Maman, on l'a perdue, depuis des
années… »

« Mes parents ont toujours voulu
se débrouiller seuls. À la mort
de ma mère, mon père ne voulait
aucune aide extérieure, sauf la mienne.

Quand ma mère était vivante, elle
s'occupait de tout, et pourtant elle était
aveugle. Mon père était actif, toujours
dans son jardin ou son garage. Il faisait
les courses, quel que soit le temps. Il avait
une idée très précise de la famille :
c'est aux enfants de s'occuper des parents,
c'est comme cela, cela ne se discute pas.

À la mort de ma mère, un voisin est venu.
Il passait trois, quatre fois par semaine.
Cela a tenu un peu, mais mon père mettait
de plus en plus de temps pour accomplir
la moindre chose. Il voulait rester seul,
comme ça. Il m'appelait tout le temps,
il s'inquiétait tout le temps. Cela devenait
incohérent.

Trente fois par jour, il m'appelait.

Cela me faisait mal, j'ai même fait
une dépression. Il fallait s'occuper de tout.
À chaque lettre qu'il recevait, il s'inquiétait.
Un jour, il m'a dit qu'il n'avait plus
de courant, ou plus de gaz. En fait,
il avait tripatouillé la chaudière ; cela
devenait dangereux.

Et puis, il tombait. Je me suis rendu
compte qu'il ne mangeait plus, ou juste
des gâteaux et du café. J'ai essayé
de le convaincre d'avoir une aide ménagère.
Cela s'est mal passé. On s'est rendu compte
que cela ne suffisait plus.

Avec ma sœur, on a beaucoup discuté. Un
jour, on l'a retrouvé, hébété, dans la rue.

Quand je discutais avec lui, on s'énervait. Il ne se lavait plus. Pour lui, je devais vivre avec lui. C'était impossible, mon appartement est tout petit. Le médecin traitant m'a dit qu'il ne pouvait plus rester seul.

Je lui ai dit : "Tu ne peux plus rester seul." Il m'a dit : "Oui, c'est vrai." Et il m'a délégué. Je lui ai dit : "Je vais te trouver une maison." Il m'a dit : "Fais ce que tu veux."

Je ne voulais pas prendre la décision avant d'avoir… un peu son accord.

J'ai trouvé très important qu'il accepte, en tout cas en partie. Là, j'ai confiance, je suis rassurée, il est entouré. En fait, il a déposé le fardeau sur mes bras. À moi de faire…

Cela étant, il est arrivé ici comme s'il n'allait pas y rester. Il pense qu'il est à l'hôpital, et qu'il va rentrer chez lui. Il est calme, il attend de rentrer. Je le trouve un peu triste. Je dois dire que j'ai une relation nettement meilleure depuis qu'il est là.

Je ne voudrais pas qu'il soit trop malheureux. Je ne le trouve pas si malheureux. Il veut que je m'occupe de tout.

Cela me gêne, quand même, qu'il soit enfermé, lui qui aime tant être dehors. »

« Personne n'a dit à ma mère qu'elle était
dans une maison de retraite. Je ne sais pas
si elle s'en rend compte…

Dans le Sud, où elle habitait, elle
ne se nourrissait pas, ne se lavait plus.
Elle était toute seule.

Ici, elle dit que c'est sa maison.
On a le souci d'être honnête, on lui
explique, pas à pas, mais nous n'avons pas
prononcé les mots "maison de retraite".

Le diagnostic est clair : une démence,
apparentée à la maladie d'Alzheimer.
Quand elle est tombée malade, c'était
difficile. On lui disait : "Maman,
il faut que tu manges."
Elle nous répondait : "Oui."

On sentait qu'elle avait mal au cœur,
mais elle mangeait.

Ce qui est dur, c'est de voir sa mère
que l'on force à manger.

Ma mère n'est plus capable de répondre.
Elle fait illusion. Vous la voyez,
aujourd'hui, elle va bien, elle vous parle.
Mais d'autres jours, cela peut être
très différent.

On discute entre nous,
avec d'autres familles ici.

Avec ma sœur, on ne prend jamais
une décision sans se prévenir.

J'ai sûrement une relation
un peu trop fusionnelle
avec ma mère, mais
c'est notre histoire.
Maintenant je l'accompagne,
on partage le moment présent,
j'essaye de profiter d'elle. »

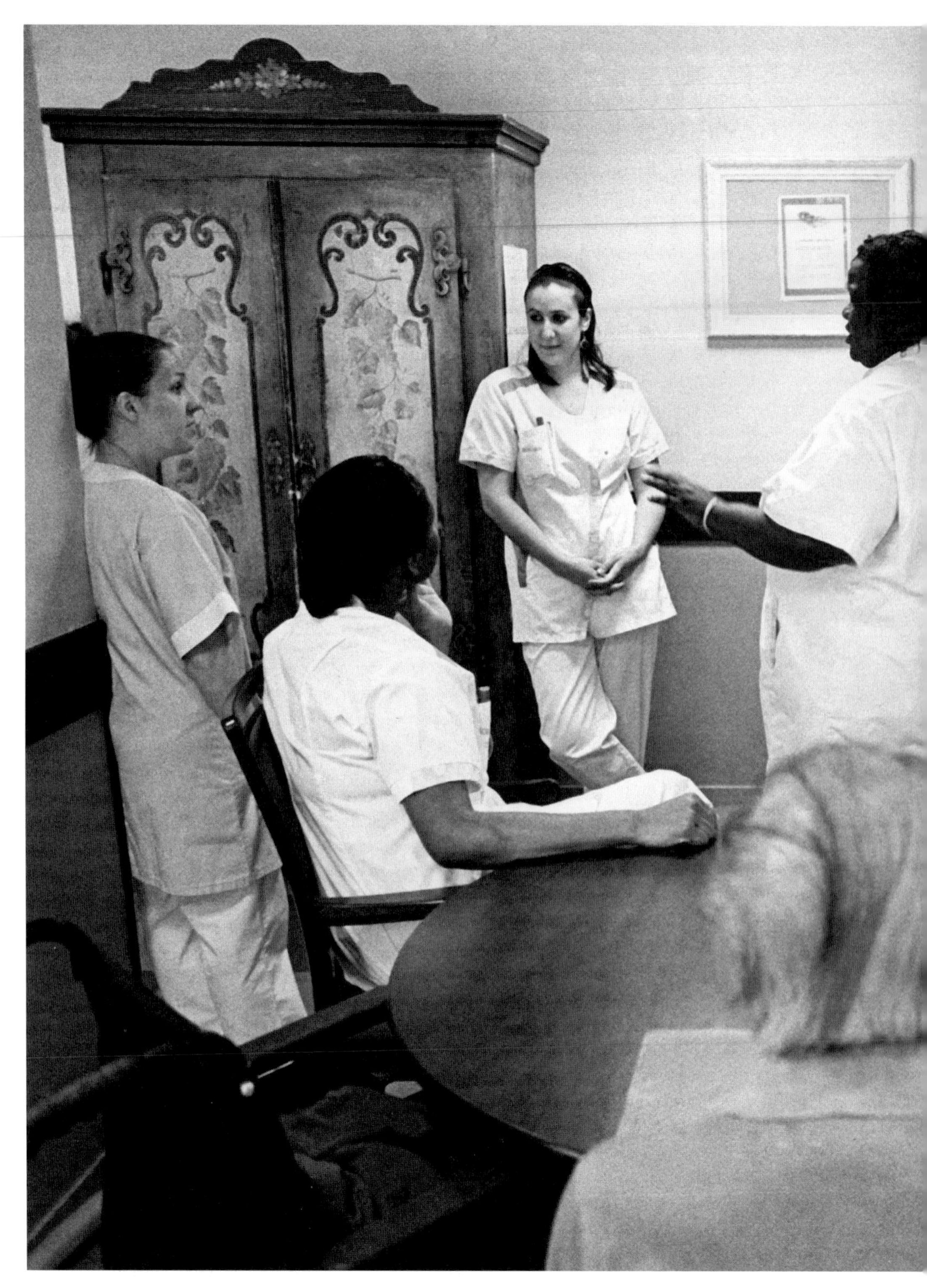

Dans la salle à manger.

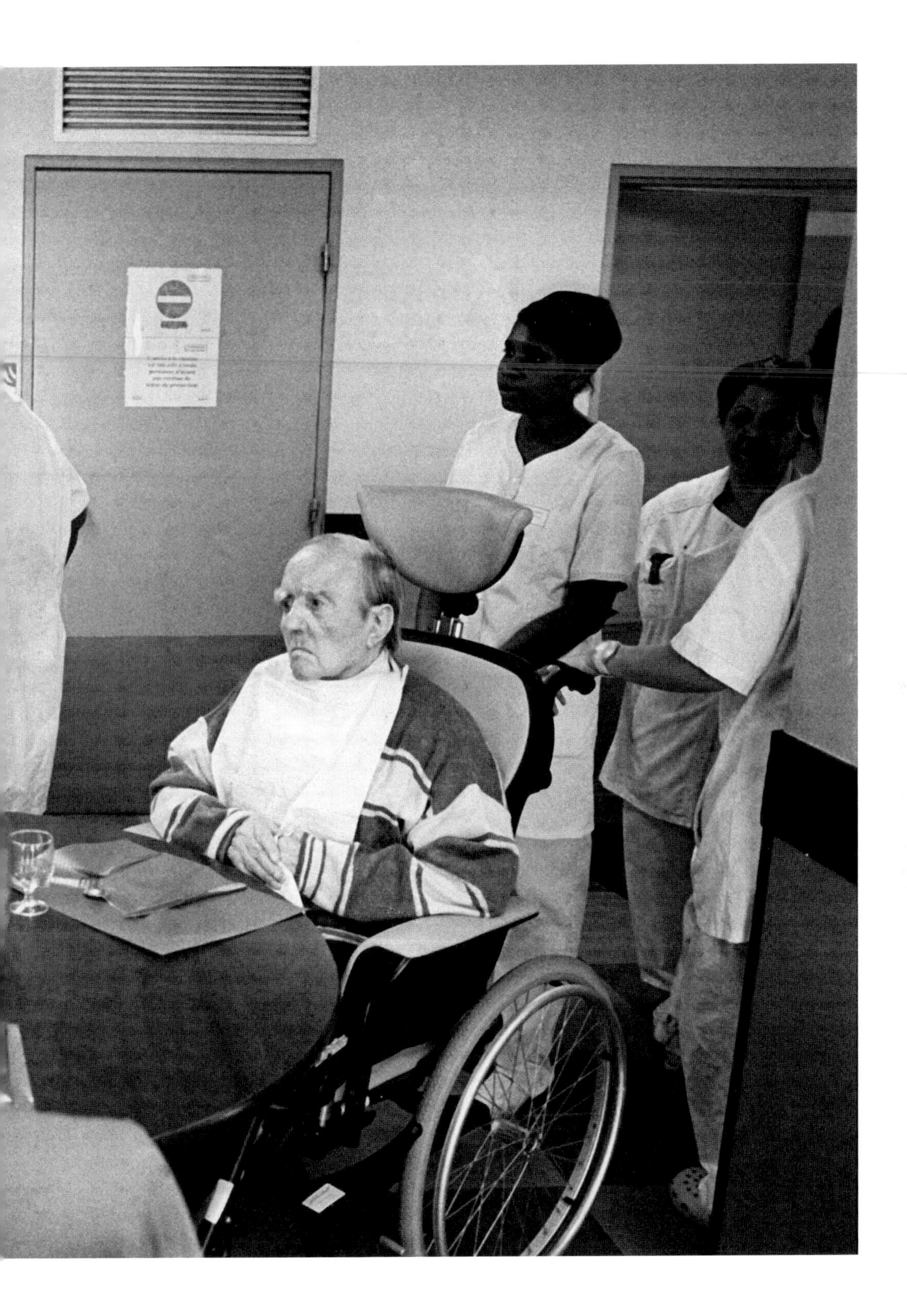

Séance de kinésithérapie.

L'anniversaire.

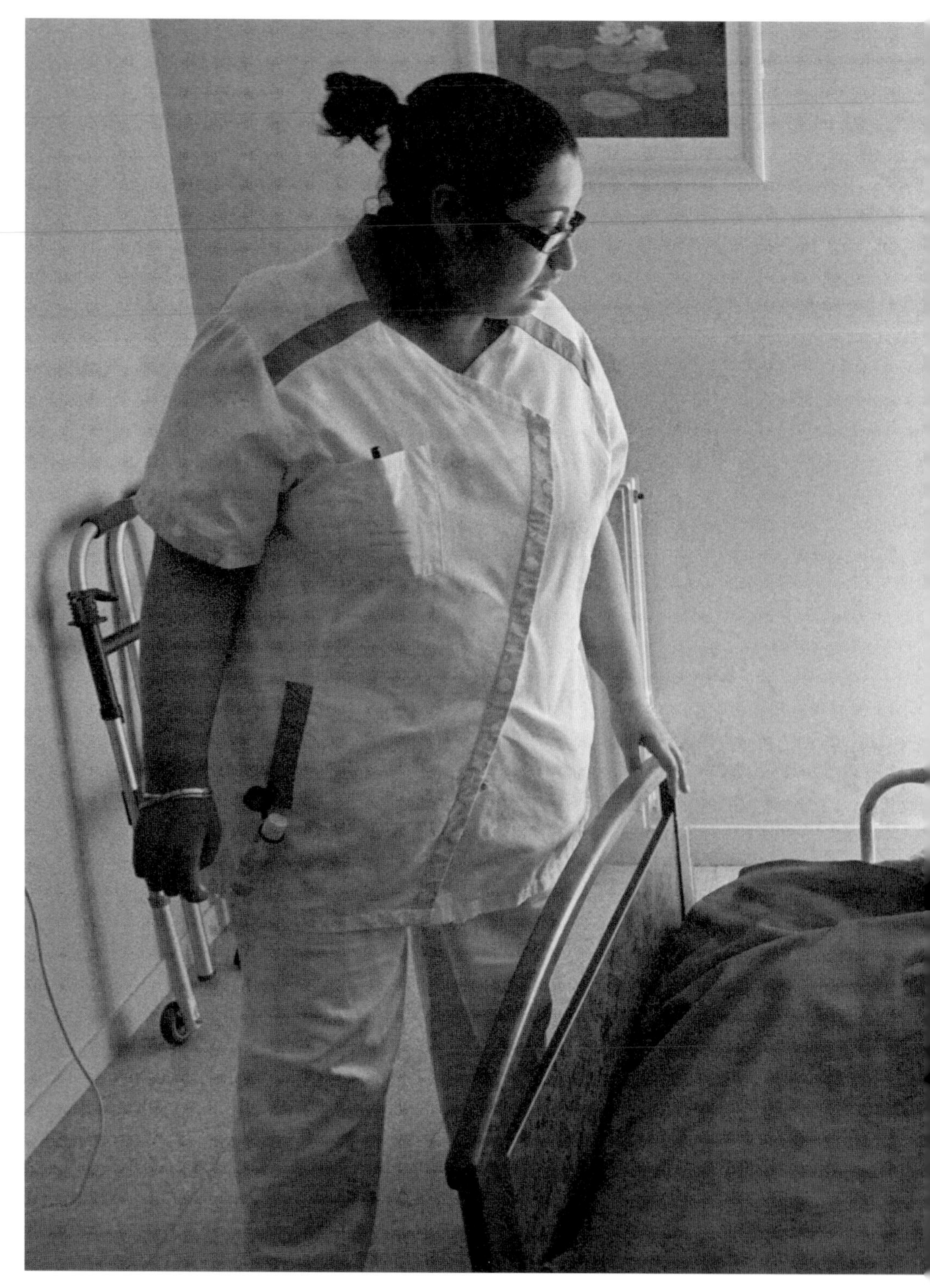

Vous m'avez appelée, Madame ?

Cette femme vient tous les jours voir son mari.

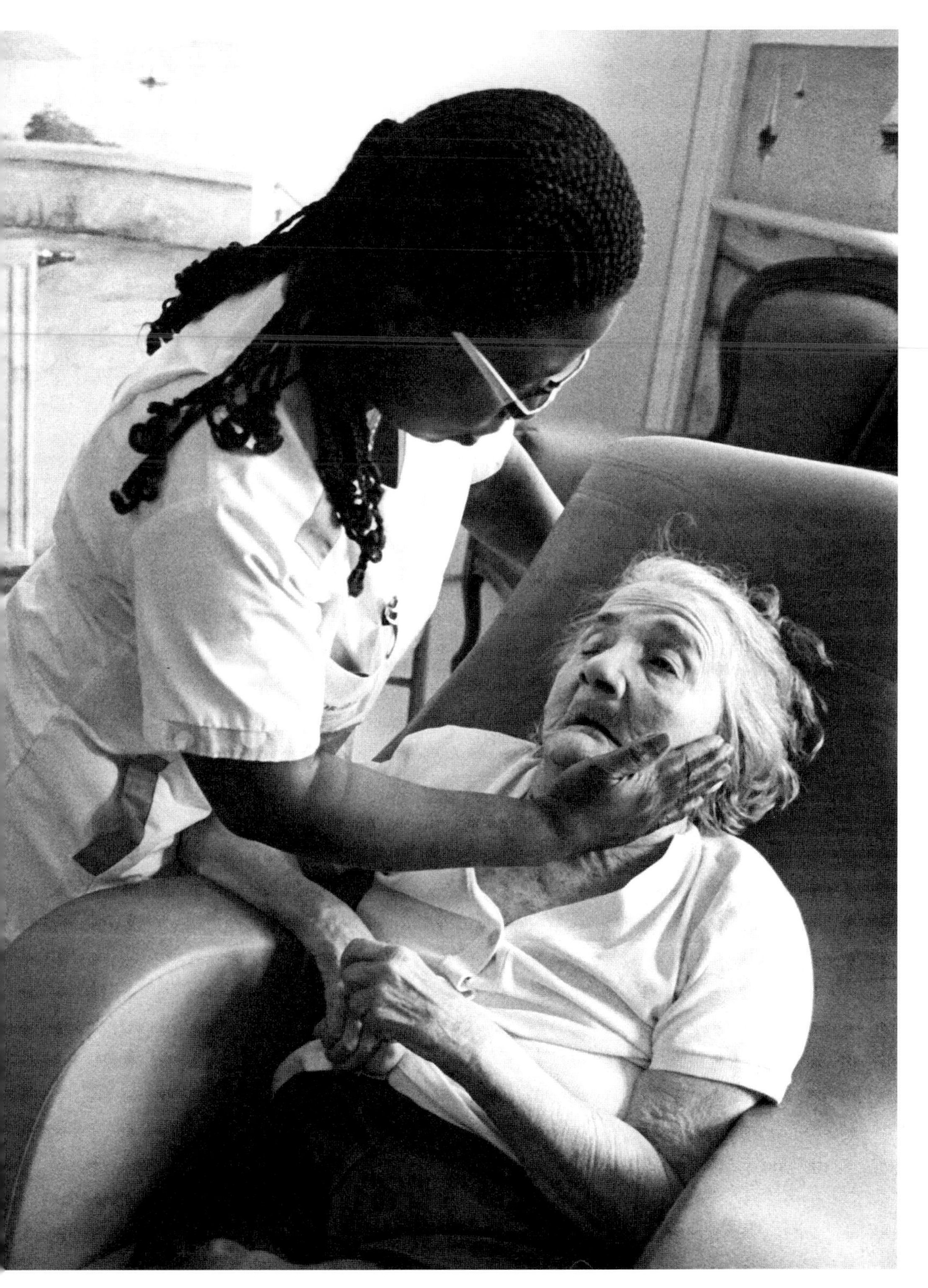

Une aide-soignante réconforte une résidente.

Une aide-soignante tente de rassurer une résidente très angoissée.

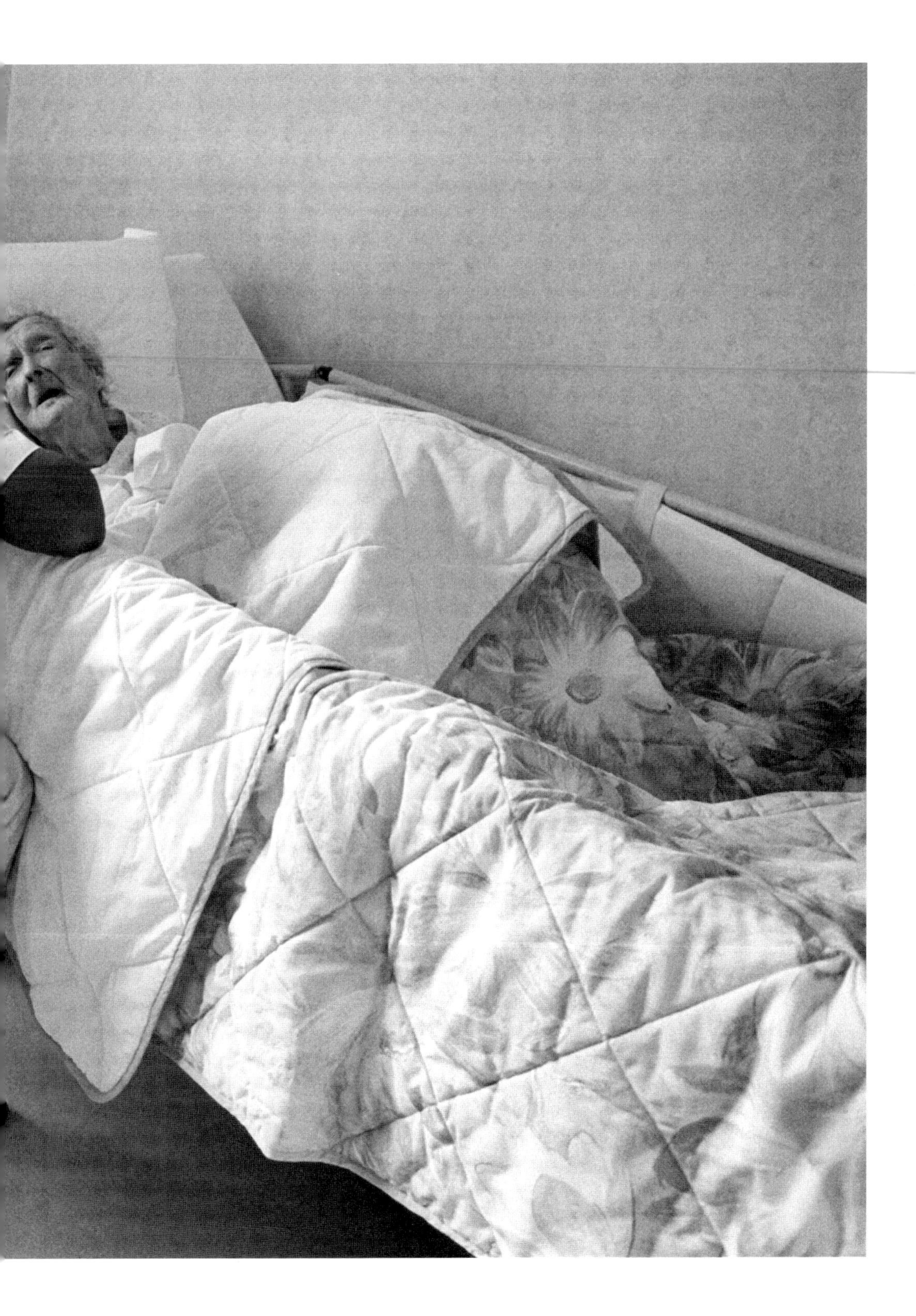

Les soignants

Médecins, directeurs, auxiliaires de vie, infirmières. Ils sont en première ligne et, au fil des jours, ils deviennent les confidents.

Ils n'ont souvent pas le temps. Ils font comme ils peuvent, ils courent sans arrêt, ils essayent de dénouer les tensions, ils sont installés à des places mal définies. Le secret médical ? Il est, pour le moins, très partagé.

Tous soignent comme ils peuvent dans un système de santé qui ne veut pas trop d'eux.

Le médecin traitant

« C'est le foutoir, dans cette maison
de retraite.

J'avais dit à la fille de ma patiente
que l'on n'allait pas s'acharner, car
vu la dégradation de son état de santé,
il n'y avait pas grand-chose à faire.
On allait faire du palliatif gentil.

Souvent, vous savez, les enfants se sentent
coupables avec leurs parents. Moi, je viens
de la campagne, je ne suis pas jusqu'au-
boutiste. Le problème, dans ces maisons,
c'est qu'il n'y a pas grand monde. Il n'y
a pas d'infirmière ni d'aide-soignante le
week-end. Alors on jongle un peu. »

La médecin coordonnatrice

« Cette patiente est consciente, sans trouble
cognitif. Depuis qu'elle est ici, elle n'a pas
fait la moindre chute.

Son avenir ? Je ne sais pas. C'est une
résidente exigeante, c'est vrai. Pour moi,
l'institution est là pour lui faciliter le choix
et lui apporter de l'aide. »

« C'est une résidente agréable, mais tête en l'air. Elle est très angoissée. Elle est à l'aide sociale et de ce fait, on doit récupérer 90 % de ses revenus pour financer son séjour ici, ce qui fait qu'il doit lui rester 100 euros par mois. Or, elle se met à dépenser à tort et à travers, elle ne paye pas les médecins, elle part avec les feuilles de soins. Elle continue à payer l'électricité de son appartement, cela part un peu dans tous les sens.

Quand je lui ai parlé d'une aide pour ses papiers, elle m'a dit : "Oh oui". Puis : "Oh non".

C'est comme cela que l'on a lancé la demande d'une mise sous tutelle. Son angoisse a beaucoup monté. Tout devenait compliqué.

Ce qui est sûr, c'est qu'elle est seule, et que ses problèmes n'intéressent personne. »

« Quand je l'ai vue, elle n'avait pas l'air
d'aller très bien, elle était souffrante.
On a tâtonné, on avait l'impression
qu'elle était douloureuse. Je ne suis pas
convaincu qu'il y avait une douleur
permanente, comme le suggérait le
personnel soignant. J'avais le sentiment
que nos impressions différaient.

La morphine a été testée, sans trop
de conviction, en désespoir de cause.
J'aurais eu tendance à augmenter la dose,
compte tenu de son état, également
dans le but de la sédater.

Comme généraliste, je passe de temps
en temps. Je passe aussi à la demande.
Je ne sais pas quels sont les protocoles
en soins palliatifs, mais de mon point
de vue, on n'a pas le droit de mourir
d'un choc septique,
ou d'une déshydratation.

Il y a quelques jours, quand je suis
arrivé le matin, j'ai trouvé préférable
de l'hospitaliser. J'avais le sentiment que
cela devenait lourd pour l'équipe. J'ai dit :
"Écoutez, on va faire un petit bilan,
une radio pulmonaire."

Avec le recul, je ne vois pas d'inconvénient
à l'avoir hospitalisée. Le fait qu'elle soit
revenue assez vite, et que l'équipe
la reprenne en charge, cela ne me choque
pas non plus.

C'est une patiente que je connais depuis
longtemps, c'était ma voisine, mais
je n'ai jamais véritablement parlé avec elle.
On n'a jamais abordé sa fin de vie.

Sa fille m'a répété qu'il y avait peut-être
quelque chose de dépressif en toile de fond.
Je n'en suis pas convaincu. Avec sa fille,
on discute librement.

Des consignes ? C'est au cas par cas,
et à la maison de retraite, ils ont
mon portable. »

« Mon rôle ? Nul. Cette patiente
est complètement folle, elle a fusillé
toute sa famille depuis vingt ans.
Elle est ingérable. Ingérable depuis
vingt ans. Ils l'ont acceptée à la maison
de retraite parce qu'ils ne la connaissaient
pas. Il n'y a rien à faire, elle est totalement
organisée dans sa folie, perverse en plus.

Alors on fait ce que l'on peut ; moi, je ne
dis rien. Sa fille essaye de faire ce qu'elle
peut. Je la vois tous les mois, je renouvelle
son traitement, il n'y a rien d'autre à faire. »

« C'est un monsieur qui nous a été adressé
par une autre maison de retraite.
Il ne payait plus, il ne pouvait plus,
il est passé à l'aide sociale.

Je ne crois pas que les enfants
voulaient qu'il vienne ici.

Sa situation médicale ? Il est dément,
atteint d'une maladie dégénérative.
Il ne marche plus du tout, on l'amène
du lit au fauteuil. Il est très endormi
toute la journée. C'est difficile de dire
s'il est en fin de vie. Il peut parler, mais
cela ne dure pas bien longtemps.
Il s'alimente seul. Dans les contacts
que j'ai avec lui, cela ne me paraît pas
possible de discuter.

Le problème se situe avec les enfants.
Ils sont divisés. Un des fils ne parle plus
aux autres. Pour lui, son père n'est pas
en fin de vie. Sa fille se rend mieux compte
de la situation. La fille et le fils nous disent
des choses contradictoires.

Comment faut-il le nourrir ?
Mâché ou mixé ? Une sonde gastrique ?
Non, je ne suis pas partisane.
Le fils dit qu'il serait mieux chez lui.

Quelle attitude en cas de problème ?
C'est vrai que ce serait bien si on pouvait
discuter, savoir par exemple ce que l'on fait
en cas de nouvelle infection pulmonaire.
On va en discuter avec son médecin
traitant, mais il vient très tôt le matin,
à 7 h 45. Et là, moi, je pars en vacances. »

Trois mois plus tard…

« Il est décédé. Cela s'est très mal passé.
Il a fait une grosse fausse route, le Samu
a été appelé, il a été transféré aux urgences.
La famille a insisté pour qu'on le réanime.

Le personnel de la maison était en colère.
Ce vieux monsieur a été intubé à la
demande de la famille. On ne pouvait
rien dire, ni faire. Sa fille était perdue,
inaccessible à toute discussion, elle était
agressive, nous disant que l'on aurait
dû l'hospitaliser avant. Un mois
auparavant, le médecin traitant avait baissé
les bras, trop fatigué par les conflits
de famille.

Vraiment, nous avons tous eu le sentiment
que c'était absurde de le conduire
aux urgences. Le Samu ne voulait pas
non plus, mais vu le contexte conflictuel,
ils ont obtempéré.

Pour l'équipe, cette fin a été ressentie
comme un échec. Et cela a été terrible
pour le patient. »

« Au début, on a mis ce résident
avec ceux atteints d'Alzheimer.
Mais il crie.
Il crie pour attirer l'attention.
À force, il est rejeté par les autres
résidents. N'importe où il va,
il est perçu comme un monstre,
une sorte de Quasimodo.

Il est désormais hébergé au troisième,
l'étage des indépendants. Cela se passe mal.
Il est rejeté, il met à bout l'équipe.
Il crie à longueur de journée, les autres
résidents essayent de le faire taire.
Lui répond : "Fais chier, fais chier..."
On l'a mis de nouveau au deuxième étage.

Il n'a aucun suivi psychiatrique.
Pourtant, c'est un malade psy ;
nous sommes assez démunis.
Il crie au secours, puis va aux toilettes.

C'est vraiment perturbant.
Que peut-on lui proposer pour arrêter
ces troubles du comportement ? Je suis
désarçonnée par son attitude.

On reçoit de plus en plus de résidents
psychiatriques, des psychotiques
de 60 ans. »

« Ce résident ne voulait pas venir
à la maison de retraite.
Le premier jour,
il s'est roulé par terre.

Il est chez nous à la demande de sa fille
qui est débordée avec ses deux parents.
Elle nous a dit : "On peut le rentrer
en intérimaire, mais pour moi,
c'est définitif."

Il est très opposé. Il a fait un accident
vasculaire cérébral avec hémiplégie,
il y a vingt ans, et depuis il est handicapé.
Il a une aphasie, mais il a toute sa tête.
Il occupe une position assez dominante.
La fille est seule.
On est la bouée de secours.

Moi, mon client, c'est aussi la fille,
car c'est elle qui paye. On est encore dans
une phase intermédiaire. Elle paye le mois
de mars. Après ? On verra. »

« Au début, on a fait croire à cette patiente
que son séjour ici était transitoire.
Elle avait un problème de névralgie faciale
qui était très douloureux. En arrivant, son
traitement a été désorganisé. Elle a eu mal,
elle voulait être hospitalisée, elle a préféré
rentrer chez elle.

Pour ce qui est de son traitement
antidouleur, je voulais la mettre sous
morphine. Elle m'a dit qu'elle n'en voulait
pas, qu'elle était allergique. Je lui ai dit que
l'on allait quand même mettre le patch.

Je ne lui ai pas imposé la morphine,
j'ai mis le patch et elle l'a enlevé. Alors
je l'ai fait mettre dans le dos. On était
un peu coincés, elle ne bougeait plus,
ne s'alimentait plus, il y avait urgence,
j'ai choisi de passer outre parce qu'il était
urgent de calmer sa douleur.

Je ne suis pas sûr qu'elle ait toute sa tête.

Quand j'ai des problèmes avec
des patients, je les envoie à l'hôpital
via les urgences. Sinon, c'est impossible
de les faire hospitaliser. »

« C'est un vieux monsieur charmant.
Il est arrivé accompagné par son ex-femme.
Il a deux enfants, il vient d'être grand-père
de jumeaux. Il était avant dans un foyer
logement, où il ne pouvait pas rester car
on estimait qu'il était trop seul, trop isolé.

C'est un homme dépressif, il participe peu,
ne demande pas grand-chose, il reste dans
sa chambre, il est autonome. Il se lève tard,
vers 11 heures. On lui laisse ses horaires :
avec lui, il faut aller doucement. Il descend
aux repas. L'infirmière nous dit qu'il faut
le stimuler, mais qu'il peut tout faire seul,
il a juste une aide à la toilette.

Quand on me le présente au dossier
pour l'entrée, je regarde la charge
de travail qu'il suppose, mais aussi
les avantages financiers. »

« C'était une scène étrange. Son pacemaker
était sorti de sa poitrine. Son médecin
traitant a dit qu'il était impossible
de l'opérer. On lui a donc retiré
le pacemaker à l'hôpital, et on ne lui
en a pas remis d'autre. La pile, de toute
façon, ne devait plus fonctionner.

Elle disait souvent : "J'ai peur, j'ai peur"...

Elle ne mangeait presque plus, elle avait
de gros problèmes de déglutition. Son
état s'est vite dégradé. Durant les derniers
quinze jours, elle ne mangeait plus du tout,
elle avait juste une perfusion.

Son médecin venait souvent. Elle avait mal.
On passait beaucoup dans sa chambre.
On lui a mis de la musique, et avec sa fille,
cela s'est vraiment très bien passé. »

« Avec la fille de la résidente, il a été décidé
deux choses : pas d'acharnement,
pas de réanimation.

Mais elle a souffert quand même.
Surtout le dernier week-end… Sa fille
était présente, presque tous les jours.
Elle nous avait dit : "Je voudrais être
là quand ma mère décédera."

J'ai trouvé le temps long. C'était un samedi,
le 13 septembre, sa fille est passée le matin.
Les autres résidents nous posaient
des questions. Et elle est morte.

La toilette mortuaire, c'est nous qui
la faisons. Pour sa fille, c'était important,
pour le personnel aussi. Les filles la font
très bien, décorent la chambre, puis
le corps doit partir, au plus tard au bout
de douze heures, à la morgue.

Beaucoup, beaucoup de personnes
ont été à l'enterrement.
En moyenne, nous avons
un décès par mois. »

« C'est une résidente très désorientée.
Elle ne sait pas ce qu'est une maison
de retraite. Elle est là, digne, même si
au début elle était un peu dans le refus,
le refus de la toilette et de la nourriture.

Son mari nous avait dit qu'elle devenait
un peu opposante, et qu'il ne fallait pas
la contrarier.

Elle a un côté très absent, elle est fuyante.
Le consentement ? Impossible à recueillir.
Mais ce qui est bien, c'est que le couple
persiste encore. Il n'a pas été détruit par
l'arrivée ici, comme cela arrive pourtant
souvent. Le mari vient régulièrement. »

« J'explique les choses, toujours.

Cette femme est en détresse.
Elle se plaignait de sa chambre,
elle la trouvait trop exiguë. Elle me disait
au début : "Ma chambre est trop petite."
Je lui ai demandé si elle voulait en changer,
si elle en voulait une plus grande,
elle m'a répondu : "Oh oui."

J'ai trouvé une autre maison, avec une
chambre plus grande. Je lui ai expliqué
comment cela allait se passer. Sauf qu'elle
a parfois des épisodes de démence,
alors elle n'entend pas tout.
Je lui ai fait visiter sa nouvelle chambre.

Mais voilà, j'ai maintenant des problèmes
avec la maison actuelle. Je ne m'y sens
pas bien. Depuis le début, je suis mal reçu,
j'ai des problèmes avec un infirmier
qui se comporte mal.

J'ai dit à cette femme que c'était
dans son intérêt de changer, qu'elle aurait
une chambre plus grande, de plain-pied
avec un jardin.

Moi, je n'ai rien demandé. C'est le neveu
qui a réclamé la tutelle. Et son dossier
est arrivé chez moi. J'en ai discuté avec
des collègues. Pour un changement
de maison de retraite, quand on estime
que c'est dans l'intérêt de la personne
dont on a la charge, on ne revient pas
sur la décision. J'aurais l'air de quoi ?
Et puis j'ai engagé de l'argent… Je serai
là mercredi, avec les ambulanciers, pour
le déménagement.
Elle ne supporte pas, elle fera son scandale,
mais les ambulanciers la prendront,
c'est ainsi, elle est célibataire.

Vous savez, on est là pour faire notre travail au mieux.

Il y a une décision à prendre pour son intérêt, et je la prends dans son intérêt. Une fois qu'elle sera là-bas, cela prendra quelques jours, mais elle s'adaptera. Mon intérêt n'est pas qu'elle souffre, mais dans quelques jours, elle sera habituée.

Pour moi, ce serait dégradant de changer d'avis, vous imaginez revenir sur ma décision, alors qu'elle est prise... Vous savez, c'est facile de manipuler les personnes âgées... »

« Elle ne mangeait plus, elle se laissait
à l'abandon. À l'hôpital où elle était,
on lui a dit qu'elle ne pouvait plus
retourner à domicile. Elle ne voulait pas
venir ici, dans cette maison de retraite,
ou alors juste pour une période transitoire.
Elle nous le disait, elle nous le répétait.

C'est une vieille dame très lucide,
mais elle a des petits problèmes de mémoire.
Elle a aussi des petits épisodes délirants.
Elle nous disait par exemple que l'on avait
construit un mur dans sa chambre
pour l'empêcher de sortir.

Que faire avec elle, maintenant ?
Elle traverse un moment difficile.
Il n'y a aucune demande déclarée.
La règle est de dire la vérité : elle a le droit,
c'est un objectif de le lui dire, et de lui faire
comprendre qu'elle est, ici, dans
une maison de retraite. »

« Lui ne veut pas être ici, en tout cas
pour le moment. C'est sa femme qui nous
l'a amené, et c'est son fils qui a rempli
tous les papiers.

Pour nous, ce fut une entrée facile.
Après, le dossier médical n'était pas
clair. Comme ils habitaient en province,
nous n'avons pas pu faire une visite de
présentation du lieu. Dès qu'il est arrivé,
nous avons eu tout de suite un souci
de fugue.

Je pense qu'il faut trouver un arrangement
avec lui. Qu'il sorte un peu, et puis après
voir si on peut le laisser acheter le journal.
Mais sa femme a peur : il faut la forcer
un peu. En tout cas, la solution n'est pas
de l'enfermer ou de l'attacher. C'est notre
métier de faire face à cette agressivité.
On ne le connaît pas encore, mais je pense
que l'on va trouver un cadre. En tout
cas, s'il n'était pas ici, il serait à l'hôpital,
assommé de médicaments.
Quel est son meilleur intérêt ?

Dans cette phase d'adaptation, il est exact
que c'est nous qui décidons. Le dossier
médical que l'on nous a donné était faux,
ou du moins inexact. On gère et on prend
les décisions.

En fait, je ne prends aucune décision,
j'assume la décision des proches
et je la mets en musique. »

« Je vois cette dame qui est bien. Elle est sans escarre, mais elle a perdu le réflexe d'avaler. C'est la première fois que je vois cela. Je me suis dit que si on lui mettait une sonde gastrique, cela pourrait revenir. Le médecin m'a dit que non, qu'il n'y avait aucune chance. J'ai une confiance totale. Il nous a dit qu'il n'y avait rien à faire.

Maintenant, je vis cette situation presque sereinement. Mais cela reste un peu étrange de laisser quelqu'un sans manger. Un soir, elle traînait à l'heure du dîner. Elle s'est assise d'elle-même à une table, elle a pris un peu de banane, elle a mangé un peu. Mais elle ne l'a jamais refait.

De la voir souriante, sans souffrance, c'est difficile… Mais si le docteur a dit qu'il n'y avait rien à faire… »

« C'est un homme qui n'a plus
toute sa tête. Sa fille est angoissée,
elle demande de l'aide.

C'est vrai que l'on n'a pas eu l'accord
de ce monsieur pour son entrée dans
la maison. On est censé faire une réunion
avec la personne avant son entrée,
mais dans 80 % des cas, les personnes
ne donnent pas leur accord pour venir.

Que faire ?

La situation de ce monsieur était à haut
risque. Il ne mangeait plus chez lui.
Là, il se nourrit. Il était en danger,
ici, il est en sécurité, il est propre.

Nous sommes confrontés à une
discordance entre son discours de refus
et la situation actuelle, plutôt favorable.

Pour lui, j'estime que nous avons fait
le bon choix. Il n'est peut-être pas compétent
pour décider, mais il a manifesté un désir,
un désir que l'on essaye de respecter
en l'aidant. Il est pour moi partiellement
incompétent. En même temps,
si je le déclare totalement incompétent,
je lui retire sa dignité. »

« Elle ne mangeait plus, elle dépérissait.
Je ne prends pas seule la décision
de me servir de la seringue pour nourrir
cette résidente. On en a parlé avec
l'infirmière qui a demandé à la fille.

À la cuillère, elle n'ouvrait pas la bouche,
elle se laissait aller, elle était amaigrie,
très enfermée sur elle-même.

Elle dit toujours qu'elle va vomir,
mais quand elle mange, elle ne vomit pas.
Aujourd'hui, elle s'est bien rétablie.
Elle est sage, très sage, mais elle est triste.
Parfois, elle parle de la vieillesse,
elle dit que c'est dur. C'est une dame
très sentimentale. »

« Il est au bout. Aujourd'hui, il refuse tout.
Il ne veut pas qu'on lui mette de perfusion.

Il dit qu'il n'en veut plus. On a essayé
de le nourrir avec une seringue.
Il ne mange plus du tout depuis
ce week-end.

Sa femme est très présente. Ils n'ont pas
eu d'enfant. Ils sont très proches.
Elle pleure, elle pleure tout le temps.
Elle vient tous les jours.

Hier, en quittant sa chambre,
sa femme nous a dit :

Au revoir,
à demain
j'espère. »

« Quand cette vieille dame est arrivée,
il y avait de quoi être inquiet.
Elle était terrorisée, elle ne disait rien,
elle refusait tout, repoussait les soins
et toute nourriture. Elle était même
un peu agressive.

J'ai eu l'impression qu'elle avait été
attachée. Elle avait des bleus partout,
et surtout elle avait peur. Elle ressemblait
à un animal apeuré. Quand on l'approchait,
elle avait peur. Je pense que l'hôpital
n'a pas le droit de renvoyer des gens
dans cet état-là.

Je me suis dit:
"Qu'est-ce que je vais faire?"

Je me suis mise à genoux, je lui ai parlé,
je lui ai demandé ce qu'elle voulait. Elle
a dit qu'on arrête. Je lui ai dit: "Mais vous
avez encore de beaux jours devant vous."

J'ai commencé à la nourrir, à la caresser,
à la laver. Cela a pris du temps. Elle ne
voulait pas manger, j'ai pris une seringue
pour la nourrir. Elle a commencé
par refuser, puis elle a accepté.

Plus tard, j'ai essayé de lui donner
une douche, elle a bien aimé.

Quand on la masse, elle aime bien aussi.
Au bout de quelques jours, elle a repris vie.
Maintenant, elle parle. Presque. Elle prend
ses repas à la salle à manger de l'étage.

Tant que je peux la maintenir comme ça...
Elle mange, elle boit comme elle veut.
Le médecin traitant vient tous les jours.

Cela va durer un peu, quelques jours,
quelques semaines, je ne sais pas. Le but
est de lui faire oublier le passage à l'hôpital.
Elle est très attachante. Lui retirer la sonde
urinaire? Ce n'est pas moi qui décide,
je ne suis pas trop pour car elle est bien
comme ça. D'autant que pour lui retirer
la sonde, il faudrait aller à l'hôpital. »

« C'est une drôle de situation : la mère
et la fille dans une même maison
de retraite. C'est d'abord la fille qui est
venue, elle était atteinte de la maladie
d'Alzheimer.

Cela se passe bien. La mère a le sourire.
Elle semble heureuse. Je la trouve bien,
elle se lève maintenant pour faire
sa toilette. C'est surtout sa fille qui vient
la voir dans sa chambre. Elle s'assoit.
C'est parfois difficile parce que la fille veut
tout régenter, et parfois la mère est excédée.

La fille dit : "Je veux que tu sois dans
ma chambre." La mère répond : "Mais
je suis bien ici." La fille : "Si c'est comme
ça, tu n'as qu'à partir."

Mon avis, c'est de ne pas les réunir.
Chacun dans sa chambre. »